LES 200 MEILLEURES RECETTES

Au Wok

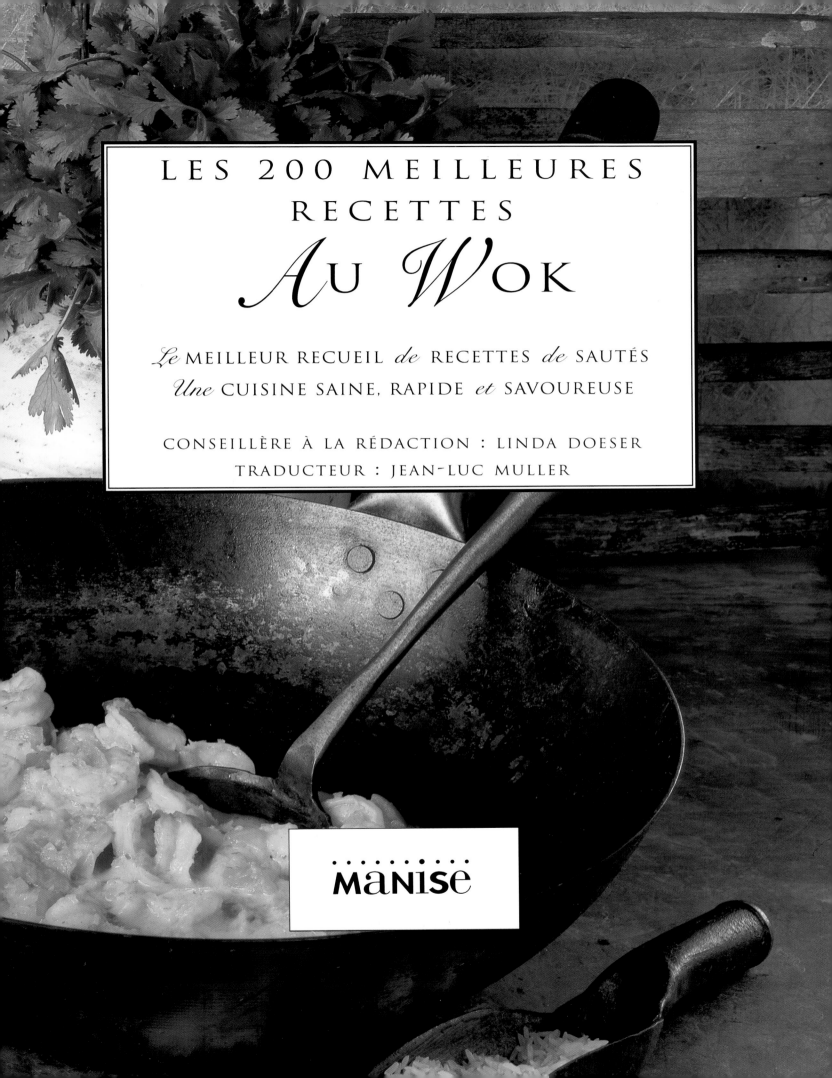

LES 200 MEILLEURES RECETTES
Au Wok

Le MEILLEUR RECUEIL *de* RECETTES *de* SAUTÉS
Une CUISINE SAINE, RAPIDE *et* SAVOUREUSE

CONSEILLÈRE À LA RÉDACTION : LINDA DOESER
TRADUCTEUR : JEAN-LUC MULLER

MANISE

Édition originale au Royaume-Uni en 1997 par Lorenz Books
sous le titre : *The Ultimate Wok & Stir-Fry Cookbook*

© 1997, Anness Publishing Limited
© 1998, Manise, une marque des Éditions Minerva
(Genève, Suisse) pour la version française

Directrice éditoriale : Joanna Lorenz
Responsable du projet : Linda Doeser
Secrétaire de rédaction : Hariette Lanzer
Styliste : Ian Sandom

Photographies : Karl Adamson, Edward Allwright,
David Armstrong, Steve Baxter, James Duncan, Michelle Garrett,
Amanda Heywood, Patrick McLeavey, Michael Michaels et Thomas Odulate

Mise en pages : Madeleine Brehaut, Michelle Garrett,
Maria Kelly, Blake Minton et Kirsty Rawlings

Préparation des plats : Carla Capalbo, Kit Chan,
Elizabeth Wolf-Cohen, Joanne Craig, Nicola Fowler,
Carole Handslip, Jane Hartshorn, Shehzad Husain, Wendy Lee,
Lucy McKelvie, Annie Nichols, Jane Stevenson et Steven Wheeler

Illustrations : Madeleine David

Traduction : Jean-Luc Muller
Adaptation française : Julie Houis

ISBN 2-84198-096-0
Dépôt légal : octobre 1998

Imprimé à Singapour

Sommaire

INTRODUCTION

La cuisine sautée au wok est rapide, facile et saine. Mais le wok offre bien d'autres possibilités de cuisson : il sert également à braiser, frire ou cuire des aliments à la vapeur. Conçu pour répandre la chaleur très rapidement et de manière homogène, il fait le bonheur du cuisinier qui l'emploie. Lorsque vous l'aurez essayé à votre tour, il y a fort à parier que vous ne voudrez plus entendre parler de vos poêles ni de vos casseroles !

La cuisine au wok vient de Chine, mais l'on trouve des modes de cuisson comparables dans tout le Sud-Est asiatique et en Inde. Les mets traditionnels de ces pays ont inspiré les succulentes recettes de cet ouvrage, du curry « balti » aux plats sautés chinois, des légumes épicés à la thaïlandaise aux plats de riz indonésiens. Les cuisiniers occidentaux ont compris les avantages de la cuisson au wok. Vous trouverez donc dans ce recueil de recettes le meilleur des traditions culinaires occidentales et orientales.

Ce livre comprend un chapitre d'introduction à l'utilisation du wok, suivi d'un guide des ustensiles de cuisine appropriés. Vous y trouverez également quelques commentaires sur des ingrédients exotiques, sans oublier les sauces, épices et herbes les plus courantes. Viennent ensuite les recettes expliquées étape par étape et toutes illustrées en couleurs. Nous vous livrerons au fil de ces pages de nombreuses variantes, des conseils pour cuisiner de manière économique, ainsi que quelques secrets de préparation des ingrédients les moins familiers.

Vous serez surpris par la variété des aliments et des plats que l'on peut préparer avec un wok. Très vite, vous aurez envie d'adapter vos propres recettes à cet extraordinaire mode de cuisson.

LE WOK

On trouve dans le commerce plusieurs types de woks. Tous présentent un fond bombé et des bords légèrement évasés, qui permettent une répartition rapide et uniforme de la chaleur sur toute la surface. Le modèle familial courant a un diamètre d'environ 35 cm, ce qui convient parfaitement aux sautés, aux fritures, à la cuisson à la vapeur et au braisage des aliments.

Le wok traditionnel est toujours en fonte, bien qu'on en fabrique aujourd'hui dans différents métaux. Le modèle en fonte est le plus apprécié, car ce métal est un excellent conducteur de chaleur et le temps lui confère une patine qui le rend naturellement antiadhésif. Le wok en acier de carbone est également très recommandé, alors que le modèle en inox a tendance à roussir. Les woks antiadhésifs que l'on trouve sur le marché ne sont pas très efficaces, faute de pouvoir résister aux très hautes températures que nécessite ce mode de cuisson. De plus, ils sont en général assez chers. Il existe des woks à poignées arrondies en métal ou en bois, d'autres à une seule poignée droite, sans parler des modèles mixtes. Nous vous recommandons les modèles à poignées en bois, beaucoup plus sûrs.

PRÉPARATION DU WOK

Un wok neuf, lorsqu'il n'a pas de revêtement antiadhésif, doit être préparé avant sa première utilisation. On commence souvent par le frotter avec une crème détergente pour éliminer le revêtement de protection (une pellicule grasse) du fabricant. Ensuite, on réchauffe le wok à feu doux, en y versant deux cuillerées à soupe d'huile végétale qu'on étale sur toute la surface intérieure du récipient à l'aide d'un morceau de papier absorbant. Après avoir laissé le wok chauffer doucement pendant 10 à 15 minutes, on frotte ce qui reste d'huile avec un autre papier, qui en sortira noirci.

Ce processus de graissage et d'essuyage doit être répété plusieurs fois, jusqu'à ce que le papier ne noircisse plus.

Lorsque le wok est enfin prêt à l'emploi, il ne faudra plus jamais le frotter. Après chaque usage, il suffira de le laver à l'eau chaude sans utiliser aucun liquide vaisselle, puis de bien l'essuyer avant de le ranger. Un wok dont on se sert régulièrement ne rouille pas. Cependant, si de la rouille apparaît, il faudra récurer le wok et recommencer à son début toute la préparation décrite ci-dessus.

LES ACCESSOIRES DU WOK

Il existe toute une gamme d'accessoires très spécifiques pour accompagner le wok, mais ils ne sont pas toujours indispensables.

LE COUVERCLE

Il peut être très utile lorsqu'on se sert du wok pour braiser, cuire à la vapeur, ou encore pour une friture. Le plus souvent en aluminium, il forme un dôme s'ajustant parfaitement sur le wok. Il est parfois fourni avec bien qu'un simple couvercle de casserole, d'un diamètre adapté, fasse parfaitement l'affaire.

LE SUPPORT

Cet accessoire très utile offre au wok une base solide et stable lorsqu'on veut frire, braiser ou cuire à la vapeur. Les supports sont toujours métalliques et il en existe de différentes formes, allant du simple cadre ouvert au cercle en métal plein perforé sur le pourtour.

LE TRÉPIED

Indispensable lors de la cuisson à la vapeur, il s'agit en fait d'un petit support en bois ou en métal (qu'on appelle également « chevrette ») servant à maintenir l'assiette au-dessus du niveau de l'eau.

L'ÉCOPE

Spatule ou pelle dotée d'un manche en bois assez long permettant de faire sauter les ingrédients pendant la cuisson. Elle peut être remplacée par une simple cuillère en bois à manche long, bien que cette dernière ne donne pas exactement le même résultat.

LA BROSSE DU WOK

Elle est constituée d'un petit fagot de bambous fendus et rigides et sert à nettoyer le

Lorsqu'on cuit à l'aide d'un wok, on peut généralement se passer d'ustensiles supplémentaires. Ceux qui ont été conçus spécialement pour le wok, et qui ont fait leurs preuves, en facilitent cependant l'utilisation. Des écumoires en fer ou en inox, une écope, un trépied pour la cuisson à la vapeur, sans oublier les marmites-paniers en bambou, compléteront utilement la panoplie. Les couperets chinois sont des outils parfaitement équilibrés permettant de couper et de hacher grossièrement ou finement. On peut toutefois remarquer qu'il existe, dans la gamme des ustensiles de cuisine occidentaux, de quoi remplacer assez facilement les ustensiles traditionnels chinois.

wok. Une simple brosse de nettoyage en plastique peut la remplacer.

AUTRES USTENSILES

Pour réussir les recettes de ce livre, les ustensiles que l'on trouve habituellement dans la plupart des cuisines font très bien l'affaire. Sinon, ceux qu'emploient les cuisiniers chinois sont en général très simples et bon marché. On les trouve facilement dans les magasins de produits exotiques.

LA MARMITE EN BAMBOU

Elle s'adapte à l'intérieur du wok, bien calée contre ses rebords incurvés. Les marmites-paniers en bambou existent en différentes tailles. Les plus petites s'emploient pour les

boulettes et les dim-sums; les plus grandes peuvent contenir un poisson entier.

LA PASSOIRE EN BAMBOU

Elle se présente sous la forme d'une grande passoire métallique plate, dotée d'un très long manche en bambou qui permet d'extraire facilement les aliments de la vapeur ou de l'huile. On peut également se servir d'une écumoire à friture.

LES BAGUETTES

Les longues baguettes en bois sont très pratiques pour remuer et «ébouriffer» le riz, pour séparer les nouilles pendant la cuisson, ou encore pour retourner les aliments ou les transférer d'un récipient à un autre.

LE COUPERET

Aucun cuisinier chinois ne pourrait s'en passer. Cet outil à couper universel existe en plusieurs tailles et calibres. Il permet, avec la même facilité, de découper des os ou de trancher avec une grande précision des aliments tels que les crevettes. C'est l'ustensile idéal pour hacher finement les légumes. On peut le remplacer par le grand couteau de cuisine occidental. L'un comme l'autre devront toujours être bien aiguisés.

LA RÂPE CHINOISE

Cet ustensile typique est en bois.

LA POÊLE BALTI

On la trouve également sous le nom de karahi.

Cette version «balti» du wok chinois s'emploie sensiblement de la même manière et on la préparera exactement comme un wok avant sa première utilisation.

LE PILON ET LE MORTIER

Généralement en terre cuite, ils sont très pratiques pour piler de petites quantités d'épices ou obtenir, par mélange d'ingrédients concassés, les pâtes nécessaires à certaines recettes.

LE MIXER

Il permet de broyer rapidement les épices et remplace efficacement le pilon et le mortier. On s'en servira également pour hacher les légumes.

LES TECHNIQUES DE CUISSON

LA CUISSON EN SAUTÉ

Cette technique rapide présente l'avantage de conserver aux ingrédients leur saveur et leur texture. Ceux-ci doivent être préparés avant de commencer la cuisson et disposés à portée de main.

1 Préchauffer un wok à feu maximum, pour empêcher les aliments d'attacher tout en assurant une bonne répartition de la chaleur. Ajouter l'huile en l'étalant sur tout le fond et la moitié du rebord. L'huile doit être chaude lorsqu'on ajoute les aliments, qui commenceront à cuire instantanément.

2 Ajouter les ingrédients en suivant l'ordre de la recette : on commence généralement par les aromates (ail, gingembre, ciboules). Il ne faut pas laisser l'huile chauffer au point de fumer, car les aliments risquent de brûler et devenir aigres. On les fait sauter dans l'huile pendant quelques secondes avant d'ajouter les ingrédients principaux, légumes épais ou viande, qui nécessitent un temps de cuisson plus long. On ajoute enfin les ingrédients à cuisson rapide. Faire sauter tous ces éléments, en remuant du centre vers les bords, à l'aide de l'écope ou d'une longue cuillère en bois.

LA FRITURE

Le wok est l'ustensile idéal pour réussir une friture, car il nécessite beaucoup moins d'huile qu'une friteuse. Il faut s'assurer qu'il est bien stable sur son support avant d'y verser l'huile.

1 Une fois le wok calé sur son support, on y verse l'huile jusqu'à mi-hauteur. Afin de savoir si une chaleur suffisante est atteinte, y jeter un petit morceau d'aliment : si des bulles se forment à sa surface, cela signifie que l'huile est à la bonne température.

2 Déposer doucement les aliments dans l'huile à l'aide de baguettes ou de pinces en bois, et les remuer pour éviter qu'ils adhèrent entre eux. On se servira d'une passoire en bambou pour les retirer du wok. Il faudra encore les égoutter avec du papier absorbant avant de les servir.

LA CUISSON À LA VAPEUR

Pour cuire efficacement des aliments à la vapeur, une chaleur humide doit pouvoir circuler librement. Ce mode de cuisson est de plus en plus préconisé par les cuisiniers, qui y trouvent une façon saine de conserver aux aliments saveur et nutriments. Il convient parfaitement aux légumes, au porc, au bœuf, à la volaille et surtout au poisson.

La meilleure méthode consiste à associer la marmite en bambou et le wok.

LA CUISSON EN MARMITE

1 Poser le wok sur un support et y verser environ 5 cm d'eau bouillante. Porter à ébullition. Placer ensuite avec précaution la marmite en bambou dans le wok, en la calant bien contre les bords intérieurs évasés.

2 La marmite ne doit pas toucher la surface de l'eau. Poser dessus le couvercle en bambou et laisser cuire le temps indiqué par la recette. Vérifier le niveau d'eau de temps à autre ; ajouter un peu d'eau bouillante si nécessaire.

LE WOK TRANSFORMÉ EN MARMITE

1 Poser un petit trépied à l'intérieur du wok, en le calant bien. Verser de l'eau dans le wok, son niveau ne devant pas dépasser celui du trépied. Placer délicatement sur le trépied l'assiette contenant les aliments à cuire.

2 Couvrir le wok, porter l'eau à ébullition, puis réduire le feu pour qu'elle frémisse doucement. Se reporter à la recette pour le temps de cuisson. Ne pas oublier de vérifier régulièrement le niveau d'eau et en rajouter si nécessaire.

LES INGRÉDIENTS

POUSSES DE BAMBOU

On trouve facilement dans le commerce ces pousses de jeune bambou à la saveur douce. On peut les acheter fraîches ou en conserve.

GERMES DE SOJA

Issus des haricots mungo, ils ajoutent du croquant aux plats sautés.. La plupart des supermarchés en vendent, au rayon des légumes.

1 Sélectionner les germes de soja en laissant de côté ceux qui semblent décolorés, cassés ou desséchés.

2 Rincer les germes de soja à l'eau froide et bien les égoutter.

POUDRE CINQ-ÉPICES CHINOISE

Mélange aromatique : anis étoilé, poivre, fenouil, clous de girofle et cannelle.

CRÊPES CHINOISES

À base d'eau et de farine, ces crêpes nature sont vendues fraîches ou surgelées.

VIN DE RIZ CHINOIS

Son arôme généreux rappelle celui du vin de Xérès, ce dernier pouvant d'ailleurs le remplacer dans la plupart des recettes (choisir de préférence un vin de Xérès sec ou demi-sec). Fabriqué à partir de riz gluant, sa couleur lui a valu l'appellation de «riz jaune» (*Huang Jiu* ou *Chiew*).

Le meilleur vin de riz est connu sous le nom de *Shao Hsing* (ou *Shaoxing*) et provient du Sud-Est de la Chine. On le trouve assez facilement en grandes surfaces, au rayon des produits exotiques.

CRÈME DE NOIX DE COCO

Les magasins d'alimentation exotiques et les grandes surfaces en proposent sous la forme d'un bloc compact, qui en concentre le goût. On y ajoute simplement de l'eau en

quantité variable, pour obtenir une pâte plus ou moins épaisse.

GINGEMBRE

Son goût piquant est très caractéristique. On choisira de gros morceaux de racine fraîche et ferme, à la peau brillante et lisse.

1 Peler la racine à l'aide d'un petit couteau bien aiguisé.

2 Placer le gingembre sur une planche à découper. Poser bien à plat dessus un couperet et le frapper du poing plusieurs fois pour attendrir la texture fibreuse de la racine.

3 Découper le gingembre grossièrement ou finement selon le cas, en sciant avec la lame du couperet.

FARINE DE POIS CHICHES

Son goût est inimitable. On aura de meilleures chances d'en trouver dans les épiceries indiennes.

FEUILLES DE LIME

Les limes de Cafre ont des feuilles qu'on emploie de la même façon que des feuilles de laurier.

Ces feuilles fraîches se vendent dans les épiceries orientales. Elles se conservent facilement au congélateur.

1 Extraire la veine centrale à l'aide d'un petit couteau bien aiguisé.

2 Couper les feuilles en travers pour obtenir de très fines lanières.

CITRONNELLE

Cette plante donne aux aliments une légère saveur citronnée. On l'utilisera entière, hachée menue ou réduite en pâte.

MOOLI

Le mooli appartient à la même famille que le radis. Il a une saveur légèrement poivrée et, contrairement à d'autres radis, il garde bon goût même après la cuisson. Il faut cependant le saler et l'égoutter avant consommation, car il retient énormément l'eau. On le rencontre beaucoup dans la cuisine chinoise, sous diverses formes.

OKRA

Cette cosse de graine fait partie de la famille des hibiscus. Ses autres noms sont : bhindi, gumbo et «doigts de femmes». La cuisine indienne en fait grand usage.

SAUCE D'HUÎTRE

À base d'extrait d'huître, elle accompagne poissons, soupes et sauces.

SAUCE DE PRUNE

Une sauce aigre-douce à la saveur fruitée très appréciée.

PÂTE DE HARICOTS ROUGES

Cette pâte à la couleur brun-rouge s'obtient à partir de haricots rouges et de sucre cristallisé réduits en purée. Elle est vendue en conserve.

RIZ

Pour les plats salés, on emploie généralement du riz long grain.

Il en existe de nombreuses variétés d'excellente qualité.

Le riz basmati (ce terme hindi signifie «parfumé») est reconnu partout comme l'un des plus raffinés et le mieux adapté aux recettes de «baltis» qu'il accompagne.

Le riz thaïlandais au jasmin est lui aussi très parfumé et légèrement gluant.

HARICOTS NOIRS SALÉS

Vendus en sachets plastique ou en bocaux, ces haricots salés et âcres doivent être broyés avec de l'eau ou du vin avant emploi. Ils se conservent presque indéfiniment dans un bocal à couvercle vissé.

HUILE DE SÉSAME

On l'emploie plus souvent en assaisonnement que pour la cuisson. Une petite quantité suffit, car elle est très parfumée.

ÉCHALOTES

Elles appartiennent à la famille des oignons et s'emploient dans de nombreux assaisonnements et sauces (on les trouve notamment dans la pâte de curry thaïlandaise). On peut les frire pour les servir en garniture.

SAUCE DE SOJA

Obtenue par la fermentation naturelle des graines de soja, elle est l'un des ingrédients privilégiés de la cuisine chinoise.

CIBOULES

Cette variété d'ail, qui est plus doux lorsqu'il est fin, se retrouve souvent dans les plats sautés. On ôte les racines et la partie supérieure des feuilles, puis le bulbe est haché finement ou découpé en allumettes. Certaines recettes prévoient de garder séparément les feuilles et les parties blanches pour la décoration.

GALETTES POUR NEMS

On trouve facilement ces feuilles de pâte très fines, faites à partir de farine de froment ou de riz.

— SUGGESTION DU CHEF —

Le lait de coco est un ingrédient très important de la cuisine du Sud-Est asiatique, notamment dans les spécialités thaïlandaises et indonésiennes.

En réalité, il ne s'agit pas du « lait » provenant de la noix de coco, mais d'une préparation à base de noix de coco râpée et d'eau, mixée sans sucre. On l'achète facilement en conserve ou sous forme compacte.

Pour en préparer vous-même, ouvrez une noix de coco fraîche et épluchez la peau marron. Pelez ensuite l'équivalent d'1/3 de litre de chair blanche, pour la mélanger avec 1/4 de litre d'eau dans un robot de cuisine à lames métalliques. Mixez le tout pendant 1 minute, avant de le filtrer à travers une passoire. Le lait de coco est prêt, mais il est recommandé de bien le remuer avant de s'en servir.

Elles se vendent le plus souvent surgelées ; il faut alors les décongeler et les séparer avant usage. Les feuilles à base de farine de riz, vendues séchées, doivent être humectées.

POIVRE DU SICHUAN

Ces grains de poivre rouge, très aromatiques, s'emploient de préférence moulus et grillés. Sensiblement moins épicés que les grains de poivre gris ou noir, ils apportent néanmoins aux plats une couleur indispensable.

TAMARIN

Fruit du tamarinier, qui pousse dans les régions tropicales, il se présente sous la forme d'une gousse à la pulpe marron visqueuse. Les cuisines thaïlandaise et indonésienne l'emploient pour ajouter une note aigrelette, comparable à l'usage occidental du vinaigre ou du jus de citron. On le trouve séché ou réduit en pulpe. Dans ce dernier cas, faire tremper 25 g de pulpe de tamarin dans un verre d'eau chaude pendant 10 minutes environ. Presser le maximum de jus à travers une passoire.

PÂTES DE CURRY THAÏ

On obtient traditionnellement la pâte de curry en réduisant en poudre des épices et herbes à l'aide d'un pilon et d'un mortier. Il en existe deux sortes : l'une est verte et l'autre rouge, suivant la couleur des piments utilisés.

Les autres ingrédients dépendent de la personnalité du cuisinier, mais on retrouve traditionnellement dans la pâte de curry rouge du gingembre, des échalotes, de l'ail, de la coriandre, du cumin, du jus de citron vert et des piments. Parmi les herbes et aromates qui composent la pâte de curry verte, il y a généralement des ciboules, de la coriandre et du cumin frais, des feuilles de lime de Cafre, du gingembre, de l'ail, et de la citronnelle. Les pâtes de curry toutes prêtes que l'on trouve dans le commerce sont la plupart du temps de très bonne qualité.

SAUCE DE POISSON THAÏ

Employée dans les recettes thaïlandaises, de la même manière que la sauce de soja l'est dans les recettes chinoises.

TOFU

Le tofu est une pâte fermentée de fèves de soja (on parle parfois de « fromage de soja »).

Son goût est très peu prononcé, mais il capte et absorbe les saveurs des aliments et épices qui l'accompagnent en cuisson.

Pour les sautés, on choisira de préférence le tofu ferme, vendu en blocs compacts. Se conserve au réfrigérateur, recouvert d'eau.

CURCUMA

Appartient à la même famille que le gingembre. Cette racine à la couleur dorée est également appelée Safran des Indes. Se munir de gants en caoutchouc pour éviter de se tacher en pelant la racine fraîche.

CHÂTAIGNES D'EAU

Cette racine de plante d'eau asiatique a la taille d'une noix, et sa forme rappelle celle du marron. Se vend le plus souvent en conserve.

GALETTES POUR WONTONS

Se présentent sous la forme de carrés de pâte jaune très fins. On en trouve facilement dans les épiceries asiatiques.

RIZ SAUVAGE

Il ne s'agit pas à proprement parler de riz, mais plutôt d'une variété de plante aquatique. À présent très apprécié, il est fréquemment vendu mélangé avec du riz long grain et du riz basmati. Sa cuisson est très longue (jusqu'à 50 minutes).

HARICOTS FERMENTÉS

Noirs ou jaunes, on les achète préparés en pâte et conservés dans du sel. Il faut les rincer à l'eau avant de les utiliser.

Dans le sens des aiguilles d'une montre :
bouillon de volaille, garam masala, lait de coco, pâtes de curry thaï rouge (gauche) et verte (centre).

LES SOUPES ET LES ENTRÉES

Parmi tous les hors-d'œuvre,
aussi délicieux que différents,
que vous serez en mesure de préparer
très facilement à l'aide d'un wok,
citons les soupes aux parfums délicats,
les nems croustillants,
les fruits de mer épicés sans oublier
les travers de porc ni les ailes de poulet,
toujours servis en portions généreuses.
La cuisson au wok est idéale lorsqu'on
reçoit des invités à dîner et que
l'on souhaite servir rapidement
une entrée sans passer
la soirée en cuisine. Les aliments
sont préparés à l'avance et la cuisson
est l'affaire de quelques instants.
C'est la façon la plus agréable
de débuter un repas.

Soupe au maïs doux et au poulet

Cette recette de soupe,
un grand classique de la cuisine
chinoise, est délicieuse et très
simple à préparer dans un wok.

INGRÉDIENTS

Pour 4 à 6 personnes

1 escalope de poulet de 120 g environ,
  sans la peau, découpée en dés
2 cuil. à café de sauce de soja légère
1 cuil. à soupe de vin de riz chinois
  (ou de Xérès sec)
1 cuil. à café de Maïzena
4 cuil. à soupe d'eau froide
1 cuil. à café d'huile de sésame
2 cuil. à soupe d'huile d'arachide
1 cuil. à café de gingembre frais râpé
1 litre de bouillon de volaille
420 g de crème de maïs doux
220 g de grains de maïs doux
2 œufs battus
sel et poivre noir moulu
garniture : les parties vertes de 2 ou
  3 ciboules coupées en fines rondelles

1 Hacher le poulet dans un mixer, pas trop finement. Transférer le poulet dans un saladier contenant le mélange de sauce de soja, vin de riz (ou vin de Xérès), Maïzena, eau, huile de sésame, sel et poivre. Remuer. Couvrir et laisser reposer 15 minutes, afin que le poulet absorbe tous les arômes du mélange.

2 Préchauffer un wok à feu moyen. Verser l'huile d'arachide et bien l'étaler au fond du wok. Ajouter le gingembre et le faire revenir quelques secondes. Verser dessus le bouillon, la crème de maïs et le maïs en grains. Réduire le feu avant ébullition.

3 Verser environ 6 cuillerées à soupe de ce liquide chaud dans la préparation de poulet et remuer jusqu'à obtention d'une pâte lisse. Verser cette pâte dans le wok. Amener doucement à ébullition en remuant et laisser mijoter 2 à 3 minutes.

4 Verser lentement les œufs battus dans la soupe, en un jet régulier, tout en dessinant des huit à la surface, à l'aide d'une fourchette ou de baguettes. L'œuf durcira en formant des fils (à la manière d'une dentelle). Servir immédiatement après avoir garni avec les ciboules.

Soupe de poulet aux pointes d'asperges

Cette soupe au parfum délicat
est facile à réussir, grâce à la
simplicité de préparation du
poulet et des asperges dans le wok.

INGRÉDIENTS

Pour 4 personnes
150 g de blancs de poulet
1 cuil. à café de blanc d'œuf
1 cuil. à café de Maïzena
120 g d'asperges fraîches ou en conserve
75 cl de bouillon de volaille
sel et poivre noir moulu
garniture : feuilles de coriandre fraîche

1 Découper le poulet en petits morceaux, de la taille d'un timbre-poste.
Ajouter 1 pincée de sel et verser dessus le
blanc d'œuf et la Maïzena.

2 Laisser de côté les tiges et ne garder
que les pointes d'asperges. Couper ces
pointes en diagonale.

3 Porter le bouillon de volaille à ébullition dans le wok. Ajouter les asperges
et laisser cuire pendant 2 minutes. (Cette
cuisson n'est pas nécessaire avec des asperges en conserve.)

4 Ajouter le poulet, remuer pour bien
séparer les morceaux et porter de
nouveau à ébullition. Assaisonner selon
son goût. Servir chaud, garni de feuilles
de coriandre.

Soupe au crabe et au maïs

Cette recette est née aux États-Unis avant d'être adoptée par la cuisine chinoise. Pour obtenir la consistance exacte de ce plat, il est très important d'employer la véritable crème de maïs (*creamed sweetcorn*).

INGRÉDIENTS

Pour 4 personnes

120 g de chair de crabe (ou, à défaut, de blancs de poulet)
1/2 cuil. à café de gingembre très finement haché
2 blancs d'œufs
2 cuil. à soupe de lait
1 cuil. à soupe Maïzena
60 cl de bouillon de volaille
220 g de crème de maïs doux
sel, poivre noir moulu
garniture : ciboules finement hachées

1 Effriter grossièrement la chair de crabe à l'aide de baguettes, ou bien hacher les blancs de poulet. Mélanger le crabe (ou le poulet) avec le gingembre finement haché.

2 Battre légèrement les blancs d'œufs. Ajouter le lait et la Maïzena et fouetter de nouveau pour lisser le mélange. Incorporer au crabe (ou au poulet).

3 Faire bouillir le bouillon de volaille dans un wok. Ajouter la crème de maïs et laisser revenir à ébullition.

4 Remuer en assaisonnant selon son goût. Laisser mijoter doucement jusqu'à cuisson complète. Servir avec une garniture de ciboules finement hachées.

Soupe piquante et acide

Voici un grand classique,
sans doute la plus connue des
soupes chinoises, que l'on trouve
dans tous les restaurants chinois
du monde. Elle est très simple
à réaliser, à condition de réunir
tous les ingrédients nécessaires.

INGRÉDIENTS

Pour 4 personnes
4 à 6 champignons chinois séchés,
    trempés dans de l'eau chaude
120 g de porc ou de poulet
1 morceau de tofu en sachet
50 g de pousses de bambou émincées,
    égouttées
60 cl de bouillon de volaille
1 cuil. à soupe de vin de riz chinois
    (ou de Xérès sec)
1 cuil. à soupe de sauce de soja légère
1 cuil. à soupe de vinaigre de riz
1 cuil. à soupe de Maïzena
sel, poivre blanc moulu

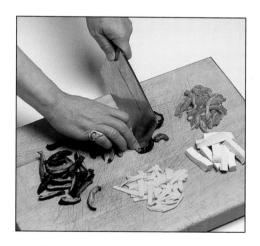

1 Bien égoutter les champignons en les
pressant, et jeter les parties trop dures.
Couper le bambou, la viande, le tofu et
les champignons en fines lanières.

2 Porter le bouillon de volaille à ébullition dans le wok et verser les ingrédients découpés. Faire bouillir de nouveau, puis laisser mijoter 1 minute.

3 Ajouter le vin, la sauce de soja, le vinaigre, le sel et le poivre. Porter à ébullition, puis incorporer la Maïzena. Remuer
et laisser le mélange épaissir. Servir.

Soupe aux épinards et au tofu

Lorsqu'on ne trouve pas d'épinards frais en branches, de la laitue ou du cresson font l'affaire. On peut aussi les remplacer par des feuilles d'oseille, mais leur goût est plus prononcé et légèrement plus amer que celui des épinards.

INGRÉDIENTS

Pour 4 personnes

1 pain de tofu en sachet
120 g d'épinards en branches
75 cl de bouillon de légumes
1 cuil. à soupe de sauce de soja légère
sel, poivre noir moulu

1 Découper le tofu en 12 petits dés, d'environ 5 mm d'épaisseur. Laver les épinards et les couper en petits morceaux.

2 Porter le bouillon de légumes à ébullition dans le wok. Ajouter le tofu et la sauce de soja, puis faire bouillir de nouveau. Laisser mijoter 2 minutes environ.

3 Ajouter les épinards et laisser mijoter encore 1 minute. Écumer la surface pour obtenir un potage clair. Saler, poivrer et servir immédiatement.

REMARQUE PRATIQUE

On trouve dans les épiceries chinoises et au rayon diététique des grandes surfaces des morceaux de tofu vendus en carrés d'environ 8 cm. Il ne faut pas confondre ce produit avec le tofu fermenté, au goût beaucoup plus prononcé et assez salé, qui s'emploie généralement comme condiment.

Soupe de poisson à la coriandre

On peut laisser la peau sur le poisson, car elle permet à la chair de ne pas se désagréger lorsqu'elle est pochée dans le wok.

INGRÉDIENTS

Pour 4 personnes

250 g de filets de poisson blanc, tels que sole ou carrelet
1 cuil. à soupe de blanc d'œuf
2 cuil. à café de Maïzena
75 cl de bouillon de volaille
1 cuil. à soupe de sauce de soja légère
50 g environ de feuilles de coriandre fraîches hachées
sel, poivre noir moulu

1 Découper le poisson en tranches de la taille d'une petite boîte d'allumettes. Mélanger avec le blanc d'œuf et la Maïzena.

2 Dans le wok, porter le bouillon de volaille à ébullition et pocher les morceaux de poisson pendant 1 minute environ.

3 Ajouter la sauce de soja et les feuilles de coriandre, saler et poivrer. Servir immédiatement.

Soupe aux trois délices

Cette succulente préparation associe harmonieusement poulet, jambon et crevettes.

INGRÉDIENTS

Pour 4 personnes

1 escalope de poulet de 120 g environ
120 g de jambon cuit au miel
120 g de crevettes décortiquées
75 cl de bouillon de volaille
sel

> SUGGESTION DU CHEF
>
> Les crevettes fraîches crues donnent le meilleur résultat. On peut éventuellement les remplacer par des crevettes déjà cuites, que l'on trouve plus facilement. Dans ce cas, on les ajoutera au dernier moment.

1 Découper le poulet et le jambon en très petits morceaux. Si les crevettes sont trop grosses, on peut éventuellement les couper en deux dans le sens de la longueur.

2 Dans le wok, porter le bouillon de volaille à ébullition. Ajouter le poulet, le jambon et les crevettes. Faire bouillir de nouveau et laisser mijoter pendant 1 minute. Saler et servir chaud.

Soupe à l'agneau et au concombre

Cette variante de la soupe épicée et acide est encore plus facile à préparer.

INGRÉDIENTS

Pour 4 personnes

1 tranche d'agneau de 220 g environ
1 cuil. à soupe de sauce de soja légère
1 cuil. à soupe de vin de riz chinois
   (ou de Xérès sec)
1/2 cuil. à café d'huile de sésame
1 morceau de concombre
   de 8 cm environ
75 cl de bouillon de volaille
1 cuil. à soupe de vinaigre de riz
sel, poivre blanc moulu

1 Couper et enlever le gras de la tranche d'agneau. Couper la viande en petits morceaux dans un plat creux. Ajouter la sauce de soja, le vin de riz (ou le Xérès) et l'huile de sésame. Laisser mariner pendant 30 minutes environ. Au bout de ce temps, égoutter la viande et jeter la marinade.

2 Couper, sans le peler, le morceau de concombre en deux, dans le sens de la longueur. Détailler ensuite en fines tranches.

3 Dans un wok, porter le bouillon de volaille à ébullition. Ajouter la viande et remuer pour bien séparer les morceaux. Faire bouillir de nouveau et ajouter les tranches de concombre, le vinaigre, le sel et le poivre. Porter une dernière fois à ébullition et servir rapidement.

Soupe aux raviolis wonton

En Chine, on sert la soupe aux raviolis wonton comme en-cas ou en *dim-sum,* mais on trouve rarement ce plat au menu d'un repas élaboré.

INGRÉDIENTS

Pour 4 personnes

175 g de porc, pas trop maigre, grossièrement coupé

50 g de crevettes décortiquées et hachées

1 cuil. à café de sucre roux

1 cuil. à soupe de vin de riz chinois (ou de Xérès sec)

1 cuil. à soupe de sauce de soja légère

1 cuil. à café de ciboules hachées

1 cuil. à café de gingembre haché

24 galettes pour wontons prêtes à l'emploi

75 cl de bouillon de volaille

garniture : quelques rondelles de ciboules et sauce de soja

1 Dans un petit saladier, mélanger le porc, les crevettes, le sucre, le vin de riz (ou le Xérès), la sauce de soja, les ciboules et le gingembre haché. Bien mélanger et laisser reposer cette farce pendant 30 minutes, afin que les saveurs se lient bien.

2 Déposer 1 cuillerée à café de farce au centre de chaque galette pour wonton.

3 Humecter les bords de chaque wonton avant de le refermer, les presser l'un contre l'autre avec les doigts, puis les replier sur eux-mêmes.

4 Placer les wontons dans le bouillon de volaille en pleine ébullition et laisser cuire pendant 4 à 5 minutes. Verser la soupe dans des bols individuels, assaisonner avec un peu de sauce de soja et garnir de petites rondelles de ciboules. Servir.

Raviolis wonton frits

Voici une délicieuse variante végétarienne des raviolis wonton. La farce contient du tofu, des ciboules, de l'ail et du gingembre.

INGRÉDIENTS

Pour confectionner 30 raviolis
30 petites galettes pour raviolis chinois
1 œuf battu
huile de friture

La farce
2 cuil. à café d'huile végétale
1 cuil. à soupe de gingembre frais râpé
2 gousses d'ail finement hachées
220 g de tofu bien ferme
6 ciboules finement hachées
2 cuil. à café d'huile de sésame
1 cuil. à soupe de sauce de soja
sel, poivre noir fraîchement moulu

La sauce d'accompagnement
2 cuil. à soupe de sauce de soja
1 cuil. à soupe d'huile de sésame
1 cuil. à soupe de vinaigre de riz
1/2 cuil. à café d'huile pimentée
1/2 cuil. à café de miel
2 cuil. à soupe d'eau

1 Couvrir la grande plaque du four d'une feuille de papier sulfurisé ou la saupoudrer simplement de farine. Réserver. Pour réaliser la farce, chauffer l'huile végétale dans une poêle à frire. Ajouter le gingembre et l'ail et les faire revenir pendant 30 secondes. Émietter le tofu et laisser cuire le tout quelques minutes.

2 Ajouter les ciboules, l'huile de sésame et la sauce de soja. Bien remuer et goûter avant de saler et poivrer. Laisser refroidir hors du feu.

3 Pour préparer la sauce d'accompagnement, il suffit de bien en mélanger tous les ingrédients dans un bol.

4 Sur un plan de travail, étaler 1 galette pour ravioli en losange. Recouvrir d'un peu d'œuf battu avec un pinceau. Déposer 1 cuillerée à café de farce au centre de la galette.

5 Replier le coin supérieur du losange sur le coin inférieur, afin d'emprisonner la farce dans un triangle de pâte. Bien appuyer pour sceller le ravioli. Déposer sur la plaque du four et répéter l'opération pour les autres raviolis.

6 Faire chauffer l'huile dans une grande poêle à frire. Déposer les raviolis avec précaution et les laisser cuire jusqu'à ce qu'ils soient bien dorés. Égoutter sur du papier absorbant et servir immédiatement avec la sauce d'accompagnement.

Chaussons au porc en demi-lune

Cuits à la poêle, ces chaussons constituent une bonne entrée dans un menu complet.
On peut également les préparer à la vapeur, pour en faire un en-cas très apprécié. Certains repas sont parfois composés uniquement de chaussons, servis en grande quantité.

INGRÉDIENTS

Pour confectionner 80 à 90 chaussons
450 g de farine
1/2 litre d'eau environ
un peu de farine
sel

La farce
450 g de chou chinois ou de chou blanc
450 g d'émincé de porc
1 cuil. à soupe de ciboules
  finement hachées
1 cuil. à café de gingembre frais
  finement haché
2 cuil. à café de sel
1 cuil. à café de sucre roux
2 cuil. à soupe de sauce de soja légère
1 cuil. à soupe de vin de riz chinois
  (ou de Xérès sec)
2 cuil. à café d'huile de sésame

La sauce d'accompagnement
2 cuil. à soupe d'huile au piment rouge
1 cuil. à soupe de sauce de soja légère
1 cuil. à soupe d'ail finement haché
1 cuil. à soupe de ciboules
  finement hachées

1 Dans un saladier, verser la farine puis l'eau. Bien malaxer. Pétrir la pâte obtenue sur une surface farinée jusqu'à ce qu'elle soit lisse. Recouvrir d'une serviette humide et laisser reposer 25 à 30 minutes.

2 Blanchir les feuilles de chou afin de les attendrir. Les égoutter et les hacher. Mélanger chou, porc, ciboules, gingembre, sel, sucre, sauce de soja, vin et huile de sésame. Réserver cette farce.

3 Saupoudrer un plan de travail avec de la farine. Pétrir la pâte et former une longue saucisse de 3 cm de diamètre environ. Découper 80 à 90 petits morceaux de pâte et les aplatir avec la paume de la main.

4 À l'aide d'un petit rouleau à pâtisserie, faire des crêpes très fines de 6 cm de diamètre environ.

5 Déposer 1 cuillerée à soupe de farce au centre de chaque crêpe, replier les bords et former une poche en demi-lune.

6 Bien appuyer sur les bords pour sceller les chaussons.

7 Dans un wok, porter à ébullition environ 15 cl d'eau salée. Ajouter les chaussons et les pocher pendant 2 minutes. Retirer le wok du feu et laisser les chaussons tremper dans l'eau pendant 15 minutes.

8 Pour préparer la sauce d'accompagnement, bien mélanger les ingrédients prévus dans un petit saladier. Servir dans un bol avec les chaussons égouttés.

Nems thaïlandais

Cette préparation des rouleaux de printemps est aussi populaire en Thaïlande qu'en Chine. Le nem thaïlandais contient du porc, de l'ail et des vermicelles.

INGRÉDIENTS

Pour confectionner 24 rouleaux

4 à 6 champignons chinois séchés
  mis à tremper
50 g de vermicelles chinois mis à tremper
2 cuil. à soupe d'huile végétale
2 gousses d'ail hachées
2 petits piments rouges hachés
250 g d'émincé de porc
50 g de crevettes cuites et hachées
2 cuil. à soupe de sauce de poisson
1 cuil. à café de sucre en poudre
1 carotte coupée en fines lanières
50 g de pousses de bambou hachées
50 g de germes de soja
2 ciboules hachées
1 cuil. à soupe de coriandre en poudre
2 cuil. à soupe de farine
galettes pour nems en rectangles
  de 25 x 15 cm environ
huile de friture
poivre noir fraîchement moulu

1 Égoutter et hacher les champignons. Égoutter les vermicelles et les couper en morceaux de 5 cm de long environ.

2 Chauffer l'huile végétale dans un wok ou une poêle à frire, mettre à revenir l'ail et les piments pendant 30 secondes. Ajouter le porc et le faire dorer en remuant.

3 Ajouter les vermicelles, les champignons et les crevettes. Assaisonner avec la sauce de poisson, le sucre et le poivre. Transférer dans un saladier.

4 Incorporer la carotte, les pousses de bambou, les germes de soja, les ciboules et la coriandre. Réserver cette farce.

5 Verser la farine dans un bol, ajouter un peu d'eau, et travailler le tout en pâte. Déposer 1 cuillerée de farce au centre d'une galette.

6 Enrouler la moitié de la galette autour de la farce et replier les extrémités. Rabattre l'autre partie de la galette après l'avoir enduite avec de la pâte pour la sceller. Répéter toute l'opération pour chaque nem.

7 Faire chauffer l'huile dans un wok ou une friteuse. Déposer les nems par poignées, et les frire jusqu'à ce qu'ils soient dorés et bien croustillants. Les retirer de la friture à l'aide d'une écumoire et les égoutter sur du papier absorbant. Servir les nems chauds, éventuellement accompagnés d'une sauce thaï piquante, dans laquelle on pourra les tremper.

Nems vietnamiens à la sauce nuoc cham

INGRÉDIENTS

Pour confectionner 25 nems

6 champignons chinois séchés,
   trempés dans de l'eau chaude
   pendant 30 minutes
230 g de porc maigre haché menu
120 g de crevettes crues décortiquées
   et hachées
120 g de chair de crabe bien triée
1 carotte coupée en lanières
50 g de vermicelles transparents
   trempés dans de l'eau, égouttés
   et coupés en petits morceaux
4 ciboules coupées en fines rondelles
2 gousses d'ail finement hachées
2 cuil. à soupe de sauce de poisson
jus d'1 citron vert
huile de friture
feuilles de riz vietnamiennes
   de 25 x 10 cm
poivre noir fraîchement moulu
garniture : feuilles de laitue, tranches de
   concombre et feuilles de coriandre

La sauce *nuoc cham*

2 gousses d'ail finement hachées
2 petits piments rouges épépinés
   et hachés
2 cuil. à soupe de vinaigre de vin blanc
2 cuil. à soupe de sucre
jus de 1 citron vert
12 cl de sauce de poisson
12 cl d'eau

1 Égoutter les champignons en les pressant pour les débarrasser d'excès de moisissures. Retirer les pieds et couper les chapeaux en fines tranches. Mélanger dans un saladier les champignons, le porc, les crevettes, la chair de crabe, la carotte, les vermicelles, les ciboules et l'ail.

2 Assaisonner avec la sauce de poisson, le jus de citron et le poivre. Laisser reposer pendant 30 minutes pour que les saveurs se mélangent.

3 En attendant, préparer la sauce *nuoc cham*. Pour cela, mélanger l'ail, le vinaigre, le jus de citron, le sucre, la sauce de poisson, l'eau et les piments dans un petit saladier. Réserver.

4 Pour confectionner les nems, poser 1 feuille de riz sur le plan de travail et l'enduire d'eau chaude jusqu'à ce qu'elle ramollisse. Déposer environ 2 cuillerées à café de farce près du bord. Replier les petits côtés de la feuille sur la farce puis rouler la feuille en prenant soin de sceller les extrémités avec un peu d'eau. Procéder de même pour les autres nems.

5 Dans un wok, faire chauffer l'huile jusqu'à une température de 180 °C. (Un morceau de pain sec doit pouvoir y dorer en 30 à 45 secondes.) Placer les nems dans l'huile par poignées, et les frire jusqu'à ce qu'ils soient dorés et croustillants. Les égoutter sur du papier absorbant. Servir les nems chauds sur un lit de laitue, garnis de tranches de concombre et de feuilles de coriandre. Présenter la sauce nuoc cham à part.

Nems croustillants chinois

Cette recette de nems végétariens très raffinés est parfaite en entrée ou en amuse-gueule. Pour obtenir des nems classiques, remplacez les champignons par du poulet ou du porc et les carottes par des crevettes.

INGRÉDIENTS

Pour confectionner 40 nems

230 g de germes de soja frais
120 g de ciboules (ou de poireaux tendres)
120 g de carottes
120 g de pousses de bambou coupées
120 g de champignons de Paris
3 à 4 cuil. à soupe d'huile végétale
1 cuil. à café de sel
1 cuil. à café de sucre roux
1 cuil. à soupe de sauce de soja claire
1 cuil. à soupe de vin de riz chinois
    (ou de Xérès sec)
20 galettes pour nems
1 cuil. à soupe de Maïzena
un peu de farine
huile de friture
accompagnement (facultatif) : sauce de soja

1 Couper tous les légumes en fine julienne (en lanières à peu près de la même taille que les germes de soja).

SUGGESTION DU CHEF

Pour faire vous-même une pâte bien lisse, similaire à la Maïzena, mélangez 4 mesures de farine de maïs avec environ 5 mesures d'eau froide.

2 Chauffer l'huile dans un wok et faire revenir les légumes (germes de soja inclus) pendant environ 1 minute. Ajouter le sel, le sucre, la sauce de soja et le vin. Remuer pendant 2 minutes. Retirer cette farce aux légumes du feu et égoutter, puis laisser refroidir.

3 Découper chaque galette pour nem en diagonale, puis déposer 1 cuillerée à soupe de farce aux légumes près de la base du triangle, la pointe éloignée de soi.

4 Soulever la base du triangle et la replier sur la farce sans l'enrouler.

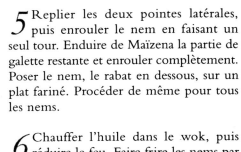

5 Replier les deux pointes latérales, puis enrouler le nem en faisant un seul tour. Enduire de Maïzena la partie de galette restante et enrouler complètement. Poser le nem, le rabat en dessous, sur un plat fariné. Procéder de même pour tous les nems.

6 Chauffer l'huile dans le wok, puis réduire le feu. Faire frire les nems par poignées de 8 ou 10, pendant environ 2 à 3 minutes, jusqu'à ce qu'ils soient bien dorés et croustillants. Les retirer et les égoutter. Servir chaud, avec éventuellement une sauce de soja en accompagnement.

Gambas panées en papillons

Vous pouvez employer pour cette recette de grosses crevettes roses, plus économiques. Les gambas, qui mesurent 8 à 10 cm de long, s'achètent étêtées. Pour un plat de 450 g, comptez une bonne vingtaine de gambas.

INGRÉDIENTS

Pour 6 à 8 personnes

500 g de gambas crues, étêtées
   mais non décortiquées
1 cuil. à café de grains de poivre
   du Sichuan
1 cuil. à soupe de sauce de soja claire
1 cuil. à soupe de vin de riz chinois
   (ou de Xérès sec)
2 cuil. à café de Maïzena
2 œufs légèrement battus
5 cuil. à soupe de chapelure
huile de friture végétale
garniture : 2 ou 3 ciboules, feuilles
   de laitue ou quelques « algues »
   (voir p. 38)

1 Décortiquer les gambas, en laissant la queue. Les tailler ensuite dans le sens de la longueur jusqu'à la moitié, en gardant la queue intacte.

2 À l'intérieur d'un saladier, laisser mariner les gambas dans le mélange de poivre, de sauce de soja, de vin de riz chinois (ou de Xérès) et de Maïzena pendant 15 minutes.

3 Tremper les gambas une par une dans l'œuf battu, en les tenant par la queue.

4 Rouler les gambas enduites d'œuf dans la chapelure.

5 Dans un wok, faire chauffer l'huile à température moyenne. Déposer délicatement les gambas dans l'huile.

6 Faire frire les gambas jusqu'à ce qu'elles soient bien dorées. Les retirer et les égoutter. Pour la garniture, utiliser des ciboules crues ou trempées pendant 30 secondes dans l'huile chaude. Au moment de servir, bien arranger les gambas sur un lit de salade ou sur des « algues » croustillantes.

Crevettes rissolées à la sauce piquante

Cette recette de crevettes épicées fera une délicieuse entrée. Ne pas oublier de servir aux convives des petits bols rince-doigts.

INGRÉDIENTS

Pour 4 personnes

500 g de grosses crevettes crues
1 morceau de gingembre
  de 3 cm environ, râpé
2 gousses d'ail écrasées
1 cuil. à café de poudre de piment
1 cuil. à café de curcuma moulu
2 cuil. à café de grains de moutarde noirs
graines de 4 gousses de cardamome
  vertes, réduites en purée
4 cuil. à soupe de ghee ou de beurre
12 cl de lait de coco
sel et poivre noir moulu
garniture : 2 à 3 cuil. à soupe
  de coriandre fraîche coupée
accompagnement : pain naan

1 Décortiquer les crevettes délicatement, en laissant la queue.

2 À l'aide d'un petit couteau bien aiguisé, faire une fente au dos de chaque crevette et lui enlever la veine sombre. Rincer à l'eau froide, égoutter et sécher sur du papier absorbant.

3 Dans un saladier, verser le gingembre, l'ail, la poudre de piment, le curcuma, les grains de moutarde et les graines de cardamome. Ajouter les crevettes et remuer pour qu'elles soient bien enduites.

4 Faire chauffer le wok. Ajouter le ghee ou le beurre et le faire tourner dans le wok jusqu'à la formation d'une écume.

5 Verser les crevettes marinées et les faire revenir un peu plus de 1 minute, jusqu'à ce qu'elles deviennent roses.

6 Verser le lait de coco et laisser mijoter encore 3 à 4 minutes, pour que les crevettes soient entièrement cuites. Poivrer et saler. Décorer avec la coriandre et servir immédiatement, accompagné de pain naan.

Travers de porc frits et leurs épices sel et poivre

INGRÉDIENTS

Pour 4 à 6 personnes

1 douzaine de travers de porc,
  soit environ 700 g, dont on
  aura coupé le gras et le cartilage
2 à 3 cuil. à soupe de farine
huile de friture végétale

La marinade

1 gousse d'ail écrasée, finement hachée
1 cuil. à soupe de sucre roux
1 cuil. à soupe de sauce de soja claire
1 cuil. à soupe de sauce de soja brune
2 cuil. à soupe de vin de riz chinois
  (ou de Xérès sec)
1/2 cuil. à café de sauce piquante
quelques gouttes d'huile de sésame

Les épices

1 cuil. à soupe de sel
2 cuil. à café de grains de poivre
  du Sichuan
1 cuil. à café de poudre cinq-épices

1 Découper chaque travers de porc en 3 ou 4 petites bouchées, puis les mélanger aux ingrédients de la marinade. Laisser mariner pendant au moins 2 à 3 heures.

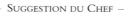

— SUGGESTION DU CHEF —

Dans l'idéal, chaque travers doit être découpé en 3 ou 4 bouchées avant ou après être passé à la friture dans le wok. Néanmoins, vous pouvez aussi les frire et les servir entiers.

2 Enrober les travers de porc de farine. Les frire dans un wok avec l'huile, à température moyenne, 4 à 5 minutes, en remuant pour les séparer. Les égoutter.

3 Chauffer l'huile à température maximum, et faire frire les travers une seconde fois pendant 1 minute, ou jusqu'à ce qu'ils soient marron foncé. Les retirer et les égoutter.

4 Verser les épices dans un wok préchauffé et les laisser cuire à feu doux pendant 2 minutes environ, sans cesser de remuer. Servir avec les travers de porc.

Calmars frits aux épices sel et poivre

La recette qui suit est une spécialité cantonaise. La cuisine du sud de la Chine est réputée pour ses fruits de mer, que l'on prépare souvent avec du gingembre.

INGRÉDIENTS

Pour 4 personnes

450 g de calmars
1 cuil. à café de jus de gingembre
   (voir Suggestion du chef)
1 cuil. à soupe de vin de riz chinois
   (ou de Xérès sec)
30 cl d'eau bouillante
huile de friture végétale
épices sel et poivre *(voir p. 34)*
garniture : feuilles de coriandre fraîches

1 Enlever aux calmars la tête, l'arête centrale transparente et le petit sac d'encre. Retirer la fine pellicule de peau, puis les laver et bien les sécher avec du papier absorbant. Ouvrir les calmars et, à l'aide d'un petit couteau bien affûté, entailler l'intérieur de la chair en dessinant des petites croix.

2 Découper les calmars en petits morceaux, de la taille d'un timbre-poste. Les faire mariner dans un mélange de jus de gingembre et de vin de riz (ou de Xérès), pendant 30 minutes environ.

3 Faire blanchir les calmars quelques secondes dans l'eau bouillante : chaque morceau s'enroulera sur lui-même et les motifs gravés formeront des pelotes. Retirer de l'eau et bien égoutter.

4 Chauffer de l'huile de friture dans un wok. Faire frire les calmars (pas plus de 20 secondes) et les égoutter. Saupoudrer du mélange d'épices et servir garni de quelques feuilles de coriandre

---

SUGGESTION DU CHEF

Pour obtenir le jus de gingembre, mélangez du gingembre râpé avec un volume équivalent d'eau froide et versez le tout dans un sac de mousseline humide. Tordez le tissu pour en extraire le jus. Une autre méthode consiste à réduire le gingembre en bouillie à l'aide d'un petit pressoir à ail.

Chaussons carrés à la viande épicée

C'est en Indonésie qu'on prépare ces fameux *martabak*. On peut utiliser des feuilles de pâte à beignet toutes prêtes, ou des galettes pour nems.

INGRÉDIENTS

Pour 16 chaussons

500 g de bœuf maigre haché
2 petits oignons finement hachés
2 petits poireaux très finement hachés
2 gousses d'ail écrasées
2 cuil. à café de graines de coriandre, grillées et moulues
1 cuil. à café de graines de cumin, grillées et moulues
1 à 2 cuil. à café de poudre de curry doux
2 œufs battus
1 paquet de 400 g de petites feuilles de pâte à beignet
3 à 4 cuil. à soupe d'huile de tournesol
sel et poivre noir fraîchement moulu
accompagnement : sauce de soja claire

1 Pour réaliser la farce, mélanger la viande avec les oignons, les poireaux, l'ail, la coriandre, le cumin, la poudre de curry, le sel et le poivre. Verser le tout dans un wok préchauffé sans huile. Remuer jusqu'à ce que la viande ait changé de couleur. Elle est cuite en 5 minutes.

2 Laisser refroidir, puis mélanger à 1 œuf battu. S'il reste de l'œuf, on s'en servira pour sceller les beignets. Dans le cas contraire, on le remplacera par du lait.

3 Badigeonner d'huile une feuille de pâte à beignets et poser dessus une seconde feuille de pâte. Couper le tout en deux. Procéder de même pour les autres feuilles. Déposer 1 cuillerée de farce au centre de chaque double feuille de pâte. Replier les bords vers le centre, de façon à les faire se chevaucher. Enduire d'œuf ou de lait et replier les deux autres côtés pour obtenir des chaussons carrés. Faire en sorte que les chaussons soient aussi plats que possible, ce qui accélérera leur cuisson. Les disposer sur un plat fariné et réserver au réfrigérateur.

4 Faire chauffer le restant d'huile dans une poêle creuse et cuire autant de chaussons à la fois que le permet cette poêle. La cuisson doit être de 3 minutes d'un côté et de 2 minutes de l'autre. Servir les chaussons chauds, après les avoir aspergés de sauce de soja claire.

5 On peut également faire cuire les chaussons au four (à 200 °C, thermostat 6) pendant 20 minutes. Badigeonner les chaussons d'œuf battu avant de les enfourner pour qu'ils ressortent bien dorés.

Pinces de crabes aux épices et au piment

Ce délicieux hors-d'œuvre de pinces de crabes sautées a pour origine une recette indonésienne appelée *kepiting pedas.*

INGRÉDIENTS

Pour 4 personnes

12 pinces de crabes fraîches
 (ou surgelées et décongelées)
4 échalotes grossièrement détaillées
2 à 4 piments rouges frais, épépinés
 et grossièrement coupés
3 gousses d'ail grossièrement hachées
1 cuil. à café de gingembre frais râpé
1/2 cuil. à café de coriandre moulue
3 cuil. à soupe d'huile d'arachide
4 cuil. à soupe d'eau
2 cuil. à café de sauce de soja sucrée
 (kecap manis)
2 à 3 cuil. à café de jus de citron vert
sel
garniture : feuilles de coriandre fraîche

1 Afin de les rendre plus faciles à manger, fissurer les pinces de crabes en les frappant avec le manche d'un gros couteau. Réserver. Dans un mortier, réduire les échalotes en bouillie avec le pilon. Ajouter les piments rouges, l'ail, le gingembre et la coriandre moulue. Piler jusqu'à ce que le mélange forme une sorte de pâte assez grossière.

2 Faire chauffer un wok à feu moyen. Verser l'huile et la répandre uniformément dans le fond du wok. Incorporer le mélange pimenté et remuer pendant 30 secondes. Augmenter le feu. Ajouter les pinces de crabes et laisser revenir encore 3 à 4 minutes.

3 Tout en remuant, verser l'eau, la sauce de soja sucrée, le jus de citron. Saler. Laisser cuire en remuant pendant 1 à 2 minutes. Servir rapidement, garni de feuilles de coriandre. Les pinces de crabes se mangent avec les doigts : prévoir des rince-doigts.

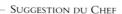
SUGGESTION DU CHEF

Si vous ne trouvez pas de pinces de crabe entières, vous pouvez les acheter surgelées, déjà décortiquées hormis l'extrémité de la pince. Faites-les revenir jusqu'à cuisson complète, pendant 2 minutes environ.

« Algues » croustillantes

On est toujours surpris
de constater que les fameuses
« algues » servies dans
les restaurants chinois,
à la connotation si exotique,
ne sont en fait que de
simples feuilles de chou
vert ou de blettes.

INGRÉDIENTS

Pour 4 personnes
450 g de feuilles de chou vert
(ou de feuilles de blettes)
huile de friture végétale
1/2 cuil. à café de sel
1 cuil. à café de sucre en poudre
garniture (facultatif) : 1 cuil. à soupe
de poisson frit et haché menu

1 Couper les tiges des feuilles de chou
ou de blettes et les jeter au centre de
chaque feuille. Empiler les feuilles et en
faire un rouleau très serré, puis les détailler
en fines lanières. Les étaler et les éparpiller
pour qu'elles sèchent rapidement.

2 Chauffer l'huile dans le wok. Faire
frire les feuilles de chou ou de blettes
par poignées, en remuant pour les séparer.

3 Retirer les feuilles avec une écumoire
dès qu'elles sont croustillantes et avant
qu'elles ne brunissent. Les égoutter et les
saupoudrer de sel et de sucre de façon
homogène. Bien mélanger et garnir avec
le poisson haché (facultatif) avant de servir.

Pains de crevettes frits au sésame

Utilisez plutôt des crevettes
crues, car les crevettes précuites
auront tendance à se détacher
des pains pendant la friture.

INGRÉDIENTS

Pour 4 personnes
230 g de crevettes crues décortiquées
25 g de saindoux
1 blanc d'œuf légèrement battu
1 cuil. à café de ciboules
finement hachées
1/2 cuil. à café de gingembre
finement haché
1 cuil. à soupe de vin de riz chinois
(ou de Xérès sec)
1 cuil. à café de pâte de Maïzena
(voir p. 30)
150 g de graines de sésame blanches
6 grandes tranches de pain de mie
huile de friture végétale
sel et poivre noir moulu
garniture : feuilles de salade

1 Hacher les crevettes dans le saindoux et
mélanger jusqu'à former une pâte homogène. Incorporer tous les autres ingrédients,
excepté les graines de sésame et le pain.

2 Répandre les graines de sésame uniformément sur une grande assiette. Étaler
généreusement de la pâte de crevettes sur
une face des tranches de pain, puis retourner les tranches pour les presser contre les
graines de sésame.

3 Chauffer l'huile dans un wok jusqu'à
une température moyenne. Frire 2 ou
3 tranches de pain à la fois, la partie tarti-
née vers le bas. Les retirer au bout de 2 à
3 minutes et les égoutter. Découper
chaque tranche (sans la croûte) en 6 ou
8 petits rectangles. Les disposer sur un lit
de salade avant de servir.

Gâteaux de crevettes au potiron

Servez ces gâteaux de crevettes chauds, accompagnés d'une sauce de poisson.

INGRÉDIENTS

Pour 4 personnes

200 g de farine à pain
1/2 cuil. à café de sel
1/2 cuil. à café de levure déshydratée
20 cl d'eau chaude
1 œuf battu
200 g de crevettes fraîches décortiquées
    et finement hachées
150 g de patates douces épluchées
    et râpées
230 g de potiron épluché, évidé et râpé
2 ciboules grossièrement hachées
50 g de châtaignes d'eau coupées
    et hachées
1/2 cuil. à café de sauce piquante
1 gousse d'ail écrasée
jus de 1/2 citron vert
2 à 3 cuil. à soupe d'huile végétale
garniture : ciboules

1 Verser la farine et le sel dans un saladier et creuser un puits au centre. Dissoudre la levure dans l'eau, puis la verser au centre du puits. Ajouter l'œuf battu et attendre quelques minutes la formation de petites bulles. Mélanger jusqu'à obtenir une pâte à pain.

2 Jeter les crevettes dans une casserole et les recouvrir d'eau. Porter à ébullition et laisser mijoter 10 à 12 minutes. Égoutter, rincer à l'eau froide et égoutter à nouveau. Couper les crevettes grossièrement et réserver.

3 Verser les patates douces et le potiron dans la pâte à pain, puis ajouter les ciboules, les châtaignes d'eau, la sauce piquante, l'ail, le jus de citron vert et les crevettes. Faire chauffer un peu d'huile dans un wok ou une poêle à frire. Y déposer une à une des cuillerées de pâte, en petits tas, et frire jusqu'à ce que les gâteaux ainsi formés soient bien dorés. Égoutter et servir, garni de ciboules.

Galettes de poisson au concombre confit

Ces savoureux petits gâteaux de poisson seront très appréciés en apéritif, surtout si vous les servez avec de la bière thaïlandaise.

INGRÉDIENTS

Pour 1 douzaine de galettes de poisson

300 g de filets de poisson (du cabillaud, par exemple), coupés en morceaux
2 cuil. à soupe de pâte de curry rouge
1 œuf
2 cuil. à soupe de sauce de poisson
1 cuil. à café de sucre en poudre
2 cuil. à soupe de Maïzena
3 feuilles de limes coupées en lanières
1 cuil. à soupe de coriandre hachée
50 g de haricots verts
    très finement coupés
huile de friture
garniture : cresson chinois

Le concombre confit

4 cuil. à soupe de vinaigre de riz (ou de vinaigre de noix de coco thaïlandais)
4 cuil. à soupe d'eau
50 g de sucre en poudre
1 gousse d'ail confite
1 concombre coupé en petits morceaux
4 échalotes finement hachées
1 cuil. à soupe de gingembre
    très finement haché

1 Pour préparer le concombre confit, faire bouillir le mélange d'eau, de vinaigre et de sucre. Remuer jusqu'à dissolution du sucre. Retirer du feu et réserver.

2 Dans un petit saladier, mélanger l'ail, le concombre, les échalotes et le gingembre avant de verser le tout dans le liquide vinaigré. Réserver.

3 Mettre les filets de poisson, la pâte de curry et l'œuf dans un robot de cuisine et bien mixer. Transférer le mélange dans un saladier, ajouter le reste des ingrédients sauf l'huile et la garniture, et bien mélanger.

4 Mouler des petites portions pour leur donner la forme de galettes de 5 cm de diamètre environ sur 1 cm d'épaisseur.

5 Faire chauffer l'huile dans un wok ou une friteuse. Frire les galettes, 3 ou 4 à la fois, pendant 5 minutes environ, jusqu'à ce qu'elles soient bien dorées. Les égoutter dans du papier absorbant. Garnir avec le cresson chinois et servir accompagné de concombre confit.

Œufs du gendre

Ce nom surprenant a pour origine une vieille histoire chinoise, dans laquelle il est question d'un jeune marié qui décide d'impressionner sa belle-mère en inventant une recette à partir du seul plat qu'il sait préparer : les œufs durs ! Il suffit de frire les œufs durs et de les tremper dans une sauce de tamarin piquante et sucrée.

INGRÉDIENTS

Pour 4 à 6 personnes
75 g de sucre de palme
5 cuil. à soupe de sauce de poisson
6 cuil. à soupe de jus de tamarin
huile de friture
6 échalotes finement hachées
6 gousses d'ail finement hachées
6 petits piments rouges hachés
6 œufs durs épluchés
garniture : feuilles de laitue et bouquets de coriandre

1 Dans une petite casserole, mélanger le sucre de palme, la sauce de poisson et le jus de tamarin. Porter à ébullition, en remuant jusqu'à dissolution du sucre, puis laisser mijoter 5 minutes.

2 Goûter et ajouter du sucre, de la sauce de poisson ou du jus de tamarin selon son goût. La préparation obtenue doit être à la fois aigre-douce et légèrement salée. Transférer la sauce dans un grand bol et réserver.

3 Chauffer de l'huile dans un wok ou une friteuse. En même temps, dorer les échalotes, l'ail et les piments, avec 2 ou 3 cuillerées d'huile, dans une poêle. Verser dans un bol et réserver.

4 Frire les œufs pendant 3 à 5 minutes, jusqu'à ce qu'ils soient bien dorés. Les égoutter sur du papier absorbant. Couper les œufs en quartiers et les disposer sur un lit de salade. Napper légèrement de sauce et ajouter la préparation aux échalotes. Décorer avec quelques feuilles de coriandre.

Clams aux piments et à la sauce de haricots

Les fruits de mer sont l'une des spécialités thaïlandaises. Ce plat savoureux et facile à préparer est un grand classique du genre.

INGRÉDIENTS

Pour 4 à 6 personnes
1 kg de clams frais
2 cuil. à soupe d'huile végétale
4 gousses d'ail finement hachées
1 cuil. à soupe de gingembre râpé
4 échalotes finement hachées
2 cuil. à soupe de sauce de haricots fermentés (jaunes)
6 petits piments rouges hachés
1 cuil. à soupe de sauce de poisson
1 pincée de sucre en poudre
1/2 botte de basilic, plus quelques feuilles pour décorer

1 Laver et gratter les clams. Faire chauffer l'huile dans un wok ou une grande poêle. Mettre l'ail et le gingembre à faire revenir 30 secondes. Ajouter les échalotes et laisser cuire encore 1 minute.

2 Ajouter les clams. Les retourner plusieurs fois avec une spatule pour qu'ils soient bien huilés. Ajouter la sauce de haricots et la moitié des piments.

3 Laisser cuire environ 5 à 7 minutes en remuant souvent, jusqu'à ce que les clams s'ouvrent. Ajouter un peu d'eau si nécessaire. Assaisonner avec le sucre et la sauce de poisson.

4 Ajouter le basilic, en gardant quelques feuilles pour la garniture. Transférer dans un plat ou des bols individuels. Garnir avec le reste de basilic et des piments.

Ailes de poulet au miel épicé

Vous aurez les doigts collants en mangeant ce plat, mais personne n'imaginerait le déguster autrement ! Pensez aux bols rince-doigts.

INGRÉDIENTS

Pour 4 personnes

1 piment rouge finement haché
1 cuil. à café de poudre de piment
1 cuil. à café de gingembre moulu
zeste de 1 citron vert non traité,
    très finement râpé
12 ailes de poulet
4 cuil. à soupe d'huile de tournesol
1 cuil. à soupe de coriandre hachée
2 cuil. à soupe de sauce de soja
3 à 4 cuil. à soupe de miel liquide
garniture : rondelles de citron vert
    et feuilles de coriandre

1 Mélanger le piment frais, la poudre de piment, le gingembre moulu et le zeste de citron. Frotter chaque aile de poulet avec ce mélange et laisser les saveurs imprégner la chair du poulet pendant au moins 2 heures.

2 Chauffer un wok et y verser la moitié de l'huile. Lorsque l'huile est chaude, faire revenir la moitié du poulet pendant 10 minutes, en le retournant souvent, jusqu'à ce qu'il soit bien croustillant. Égoutter sur du papier absorbant. Procéder de même avec le restant d'huile et de poulet.

3 Verser la coriandre dans le wok chaud et la faire revenir 30 secondes, puis ajouter les ailes de poulet et les laisser revenir 1 minute.

4 Tout en remuant, ajouter la sauce de soja et le miel et laisser cuire encore 1 minute. Servir les ailes de poulet bien chaudes et nappées de sauce. Garnir le plat de rondelles de citron vert et de feuilles de coriandre fraîche.

Poulet bon-bon à la sauce au sésame

En Chine, on attendrit la viande de poulet en la frappant avec un bâton (*bon,* en chinois), d'où le nom donné à cette célèbre recette du Sichuan.

INGRÉDIENTS

Pour 6 à 8 personnes
1 petit poulet d'un peu plus d'1 kg
1,25 l d'eau
1 cuil. à soupe d'huile de sésame
garniture : 1 morceau de concombre
   coupé en lanières

La sauce
2 cuil. à soupe de sauce de soja
1 cuil. à café de sucre
1 cuil. à soupe de ciboules
   finement hachées
1 cuil. à café de sauce au piment rouge
1/2 cuil. à café de grains de poivre
   du Sichuan
1 cuil. à café de graines de sésame
   blanches
2 cuil. à soupe de pâte de sésame (ou
   2 cuil. à soupe de beurre de cacahuètes
   mélangé à de l'huile de sésame)

1 Bien laver le poulet. Faire bouillir l'eau dans un wok, puis y ajouter le poulet. Réduire le feu, couvrir le wok et laisser cuire pendant 40 à 45 minutes. Retirer le poulet du wok et le plonger dans de l'eau froide. Le laisser refroidir 1 heure environ.

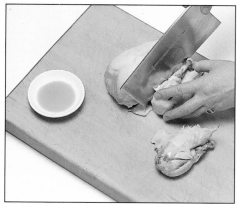

2 Retirer le poulet de l'eau et bien l'égoutter. Le sécher complètement avec du papier absorbant avant de le badigeonner d'huile de sésame sur toute sa surface. Récupérer toute la viande du poulet en décortiquant la poitrine, les cuisses, les ailes, etc.

3 Sur une planche en bois, déchiqueter la viande avec les doigts, puis la piler avec un rouleau à pâtisserie ou un bâton.

4 Disposer la viande dans un plat et l'entourer des lanières de concombre. Dans un bol, mélanger tous les ingrédients de la sauce, en gardant quelques ciboules pour la garniture. Verser la sauce sur le poulet et servir.

LES POISSONS ET LES FRUITS DE MER

Les sautés représentent le mode de cuisson idéal du poisson et des fruits de mer, préservant à la fois leur texture légère et leurs saveurs subtiles. Ce n'est plus un secret depuis bien longtemps en Inde, en Chine ni dans tout le Sud-Est asiatique, d'où proviennent ces succulentes recettes. Vous trouverez dans les pages qui suivent un Balti de fruits de mer aux légumes, *un* Curry de poisson malais, *des* Boulettes de poisson aux légumes verts chinois *ou encore des* Noix de Saint-Jacques au concombre confit. *Le wok est l'ustensile parfait pour braiser du poisson entier ou en filets, ainsi que pour réaliser les purées, assaisonnements et sauces qui l'accompagnent.*

Boulettes de poisson aux légumes verts chinois

Ces boulettes très parfumées sont cuites à la vapeur dans un wok et accompagnées de différents légumes verts, dont le *pak choi,* que l'on trouve dans les épiceries asiatiques.

INGRÉDIENTS

Pour 4 personnes

Les boulettes de poisson

500 g de filets de poisson sans arêtes, découpés en dés
3 ciboules hachées
100 g de petits lardons sans couenne
1 cuil. à soupe de vin de riz chinois (ou de Xérès sec)
2 cuil. à soupe de sauce de soja claire
1 blanc d'œuf

Les légumes

1 petite tête de *pak choi*
1 cuil. à café de Maïzena
1 cuil. à soupe de sauce de soja claire
15 cl de bouillon de poisson
2 cuil. à soupe d'huile d'arachide
2 gousses d'ail hachées
1 morceau de gingembre frais de 2 ou 3 cm environ, coupé en fines lanières
75 g de haricots verts
175 g de haricots mange-tout
3 ciboules coupées en petits losanges
sel et poivre noir moulu

1 Mixez le mélange de poisson, ciboules, lardons, vin de riz, sauce de soja et blanc d'œuf, jusqu'à obtenir une pâte homogène. Confectionner avec les mains mouillées 2 douzaines de petites boulettes.

2 Faire cuire les boulettes à la vapeur pendant 5 à 10 minutes dans une marmite en bambou légèrement huilée, calée à l'intérieur d'un wok. Les retirer et les maintenir au chaud.

3 Dans le même temps, couper le *pak choi* et jeter les feuilles décolorées ou les tiges abîmées. Déchirer les autres en petits morceaux.

4 Mélanger la Maïzena, la sauce de soja et le bouillon de poisson dans un petit saladier et réserver.

5 Faire chauffer un wok, puis verser l'huile en la répartissant bien. Faire revenir l'ail et le gingembre pendant 2 à 3 minutes. Ajouter les haricots verts et laisser cuire pendant 2 à 3 minutes. Enfin, ajouter les haricots mange-tout, les ciboules et le *pak choi* et faire revenir encore 2 à 3 minutes.

6 Verser la sauce dans le wok et faire cuire le tout, en remuant, jusqu'à ce que le mélange épaississe et que les légumes soient devenus à la fois tendres et croustillants. Goûter pour saler et poivrer. Servir avec les boulettes de poisson.

SUGGESTION DU CHEF

Vous pouvez remplacer les haricots verts et les haricots mange-tout par des brocolis. Il vous suffira de les blanchir avant de les faire revenir.

Poisson sauté à la thaïlandaise

Voici un plat très consistant, à servir accompagné de pain bien croustillant pour ne pas perdre une seule goutte de jus.

INGRÉDIENTS

Pour 4 personnes

700 g de poissons et de fruits de mer
  (par exemple des filets de lotte et
  de cabillaud avec des crevettes crues)
30 cl de lait de coco
1 cuil. à soupe d'huile végétale
sel et poivre noir moulu
accompagnement : pain croustillant

La sauce

2 gros piments rouges frais
1 oignon grossièrement haché
1 morceau de gingembre de 5 cm,
  épluché et haché
1 branche de citronnelle, sans la feuille
  externe, coupée en morceaux
1 morceau de galanga de 5 cm,
  épluché et coupé en morceaux
6 amandes blanchies et hachées
1/2 cuil. à café de curcuma
1/2 cuil. à café de sel

1 Découper les filets de poisson en gros morceaux. Décortiquer les crevettes, en laissant la queue intacte.

--- REMARQUE PRATIQUE ---

Le galanga est un rhizome appartenant à la même famille que la racine de gingembre. Son goût en est très proche, quoique moins prononcé. On l'épluche, on le coupe, on le hache ou on le râpe de la même façon que le gingembre. Cette épice est très utilisée dans la cuisine du Sud-Est asiatique, particulièrement en Indonésie, en Malaisie et en Thaïlande.

2 Pour confectionner la sauce, commencer par épépiner les piments rouges et les hacher grossièrement. Les mettre avec les autres ingrédients de la sauce dans un mixer et ajouter 3 cuillerées à soupe de lait de coco. Mixer jusqu'à ce que le mélange soit homogène.

3 Chauffer un wok avec l'huile. Mettre à revenir les fruits de mer 2 à 3 minutes, puis les retirer du wok.

4 Verser dans le wok chaud la sauce et le restant de lait de coco, puis les fruits de mer. Porter à ébullition. Saler, poivrer et servir avec du pain croustillant.

Crevettes et fenugrec Karahi

Les haricots de Lima, les crevettes et le paneer font de ce plat l'un des plus riches en protéines. Le mélange des saveurs du fenugrec frais et moulu lui confère un parfum très particulier.

INGRÉDIENTS

Pour 4 à 6 personnes

4 cuil. à soupe d'huile de maïs
2 oignons coupés en rondelles
2 tomates moyennes coupées en rondelles
1 à 2 cuil. à café d'ail écrasé
1 cuil. à café de poudre de piment
1 cuil. à café de pulpe de gingembre
1 cuil. à café de cumin moulu
1 cuil. à café de coriandre moulue
1 cuil. à café de sel
150 g de paneer découpé en dés
1 cuil. à café de fenugrec frais moulu
1 botte de feuilles de fenugrec fraîches
120 g de crevettes cuites
2 piments rouges frais hachés
2 cuil. à café de coriandre fraîche
    hachée menu
50 g de haricots de Lima en boîte, égouttés
1 cuil. à soupe de jus de citron

1 Faire chauffer l'huile dans un wok préchauffé. Réduire légèrement le feu, mettre les oignons et les tomates. Les faire revenir pendant 3 minutes environ, en remuant de temps en temps.

2 Ajouter l'ail, la poudre de piment, le gingembre, le cumin moulu, la coriandre moulue, le sel, le paneer et le fenugrec (en feuilles et moulu). Réduire le feu et laisser revenir pendant 2 minutes environ.

3 Ajouter les crevettes, les piments rouges, la coriandre fraîche et les haricots de Lima. Bien mélanger. Laisser cuire encore 3 à 5 minutes en remuant, jusqu'à ce que les crevettes soient cuites à cœur.

4 Asperger de jus de citron avant de servir.

Balti de paneer aux crevettes

Bien que le paneer (ou *panir*)
ne soit pas très employé dans la
cuisine pakistanaise, il remplace
parfaitement la viande rouge.
Dans cette recette, il s'harmonise
bien avec les crevettes.

INGRÉDIENTS

Pour 4 personnes
12 grosses crevettes cuites
175 g de paneer
2 cuil. à soupe de purée de tomates
4 cuil. à soupe de yaourt grec
1 à 2 cuil. à café de *garam masala*
1 cuil. à café de poudre de piment
1 cuil. à café d'ail réduit en purée
1 cuil. à café de sel
2 cuil. à café de poudre de mangue
1 cuil. à café de coriandre moulue
120 g de beurre
1 cuil. à soupe d'huile de maïs
3 piments verts frais hachés
3 cuil. à soupe de coriandre hachée menu
15 cl de crème fraîche liquide

1 Décortiquer les crevettes et découper
le paneer en dés.

2 Mélanger dans un saladier la purée de
tomates, le yaourt, le *garam masala,*
la poudre de piment, l'ail, le sel, la poudre de
mangue et la coriandre moulue. Réserver.

3 Dans un wok, faire fondre le beurre
avec l'huile. Mettre à revenir le paneer
et les crevettes 2 minutes environ. Les
retirer du wok avec une écumoire et les
égoutter sur du papier absorbant. Réserver cette préparation aux épices.

4 Verser la préparation aux épices dans
l'huile et le beurre restés dans le wok
et faire revenir 1 minute environ.

5 Remettre le paneer et les crevettes
et laisser cuire le tout pendant 7 à
10 minutes en remuant de temps à autre,
jusqu'à cuisson complète des crevettes.

6 Incorporer les piments verts et la plus
grosse partie de la coriandre, puis
la crème fraîche. Laisser cuire pendant
2 minutes environ, puis garnir avec le
reste de coriandre avant de servir.

--- SUGGESTION DU CHEF ---

Pour fabriquer vous-même du paneer, faites
bouillir un litre de lait à feu doux. Ajoutez
2 cuillerées à soupe de jus de citron en
remuant doucement et sans interruption,
jusqu'à ce que le lait se mette à épaissir et à
cailler. Égouttez le lait caillé à travers une
passoire garnie d'une feuille de mousseline.
Laissez ensuite le lait caillé reposer pendant
2 heures environ sous un poids pour le
rendre compact.

Il est conseillé de fabriquer son paneer la
veille du repas ; il sera plus ferme et plus facile
à utiliser en cuisson. On pourra le couper et
le conserver une semaine au réfrigérateur.

Boemboe de poisson à la balinaise

L'île de Bali, petit paradis entouré d'une mer d'azur, est réputée pour ses poissons. Cette préparation de curry de poisson renferme toutes les saveurs caractéristiques de la cuisine indonésienne.

INGRÉDIENTS

Pour 4 à 6 personnes

700 g de filet de cabillaud (ou de haddock)
1 cm de *terasi* en cube
2 oignons blancs ou rouges
2 à 3 cm de gingembre frais moulu
1 cm de *lengkuas* frais, épluché et coupé,
   (ou 1 cuil. à café de *lengkuas* en poudre)
2 gousses d'ail
1 à 2 piments rouges frais, épépinés (ou
   1 à 2 cuil. à café de poudre de piment)
6 cuil. à soupe d'huile de tournesol
1 cuil. à soupe de sauce de soja brune
1 cuil. à café de pulpe de tamarin,
   trempée dans 2 cuil. à soupe
   d'eau chaude
25 cl d'eau
garniture : feuilles de céleri ou
   piments frais hachés menu
accompagnement : riz

1 Rincer le poisson. Retirer toutes les arêtes et ôter la peau, puis le découper en petites bouchées. L'essuyer avec du papier absorbant et réserver.

2 Mixer ensemble le *terasi,* les oignons, le gingembre, le *lengkuas* frais (si vous en avez), l'ail et les piments frais (si vous en avez). En cas d'utilisation de la poudre de piment et de la poudre de *lengkuas,* les ajouter après avoir mixé.

3 Faire revenir les épices dans 2 cuillerées à soupe d'huile. Ajouter la sauce de soja. Filtrer le tamarin et verser le jus obtenu, ainsi que l'eau, dans la préparation. Laisser mijoter 2 à 3 minutes.

VARIANTE

Utilisez 500 g de grosses crevettes cuites. Ne les ajoutez que 3 minutes avant la fin.

---

4 Dans une poêle à part, faire revenir le poisson dans le restant d'huile pendant 2 à 3 minutes. Ne le retourner qu'une seule fois pour éviter qu'il se désagrège. Le retirer avec une écumoire et le déposer dans la sauce.

5 Faire cuire le poisson dans la sauce pendant 3 minutes et servir avec le riz. Décorer avec les feuilles de céleri ou les piments.

Poisson braisé dans sa sauce piquante à l'ail

Voici une recette classique du Sichuan. Les restaurants servent habituellement le poisson sans la tête ni la queue, qui sont réservées à d'autres préparations. Il est néanmoins possible de cuire le poisson entier, ce qui fait toujours plus d'impression lors d'un dîner.

INGRÉDIENTS

Pour 4 à 6 personnes

1 carpe (ou 1 bar, 1 truite, 1 mulet)
 de 700 g environ (vidée)
1 cuil. à soupe de sauce de soja claire
1 cuil. à soupe de vin de riz chinois
 (ou de Xérès sec)
huile de friture végétale

La sauce

2 gousses d'ail finement hachées
2 à 3 ciboules, les parties blanches
 et vertes hachées séparément
1 cuil. à café de gingembre frais
 finement haché
2 cuil. à soupe de sauce piquante
1 cuil. à soupe de purée de tomates
2 cuil. à café de sucre roux
1 cuil. à soupe de vinaigre de riz
12 cl de bouillon de volaille
1 cuil. à soupe de Maïzena
quelques gouttes d'huile de sésame

1 Bien rincer et égoutter le poisson. À l'aide d'un couteau aiguisé, l'entailler sur ses deux faces par des fentes en diagonale, espacées de 2 cm. Badigeonner le poisson de vin et de sauce de soja. Laisser mariner pendant 10 à 15 minutes.

2 Faire chauffer l'huile de friture dans un wok. Y frire le poisson des deux côtés pendant 3 à 4 minutes, jusqu'à ce qu'il soit bien doré.

3 Pour préparer la sauce, jeter l'huile en n'en conservant que 1 cuillerée à soupe environ. Pousser le poisson vers le bord du wok et ajouter l'ail, la partie blanche des ciboules, le gingembre, la sauce piquante, la purée de tomates, le sucre, le vinaigre et le bouillon de volaille. Porter à ébullition, puis braiser le poisson dans la sauce pendant 4 à 5 minutes, en le retournant une fois. Ajouter la partie verte des ciboules et la Maïzena, pour épaissir la sauce. Servir après avoir arrosé le plat de quelques gouttes d'huile de sésame.

Balti de fruits de mer aux légumes

Les fruits de mer aux épices sont préparés à part et mélangés aux légumes au dernier moment.

INGRÉDIENTS

Pour 4 personnes

Les fruits de mer

230 g de cabillaud (ou un autre poisson blanc à chair ferme)
230 g de crevettes décortiquées cuites
6 bâtonnets de crabe coupés en deux en diagonale
1 cuil. à soupe de jus de citron
1 cuil. à café de coriandre moulue
1 cuil. à café de poudre de piment
1 cuil. à café de sel
1 cuil. à café de cumin moulu
4 cuil. à soupe de Maïzena
15 cl d'huile de maïs

Les légumes

15 cl d'huile de maïs
2 oignons hachés
1 cuil. à café de graines d'oignon
1/2 chou-fleur coupé en bouquets
120 g de haricots verts coupés en petits morceaux
175 g de maïs doux
1 cuil. à café de racine de gingembre en lanières
1 cuil. à café de poudre de piment
1 cuil. à café de sel
4 piments verts frais coupés en morceaux
2 cuil. à soupe de coriandre hachée
garniture : rondelles de citron

1 Ôter la peau du poisson avant de le découper en petits dés. Le mettre dans un saladier avec les crevettes et les bâtonnets de crabe.

SUGGESTION DU CHEF

Pourquoi ne pas accompagner ce plat de fruits de mer d'une délicieuse raïta ? Battez 30 cl de yaourt nature, puis incorporez 12 cl d'eau en continuant de battre. Versez 1 cuillerée à café de sel, 2 cuillerées à soupe de coriandre fraîche hachée et 1 piment vert finement haché. Garnissez de petites rondelles de concombre et de 1 ou 2 feuilles de menthe.

2 Dans un autre saladier, mélanger le jus de citron, la coriandre moulue, la poudre de piment, le sel et le cumin moulu. Verser ce mélange sur les fruits de mer et bien remuer avec les doigts.

3 Ajouter la Maïzena et remuer jusqu'à ce que les fruits de mer soient totalement enduits. Laisser reposer au réfrigérateur pendant 1 heure, le temps que les saveurs se développent pleinement.

4 Pour la préparation de légumes, faire chauffer l'huile dans un wok préchauffé. Mettre à revenir les oignons et les graines d'oignons jusqu'à ce qu'ils dorent légèrement.

5 Ajouter le chou-fleur, les haricots verts, le maïs doux, le gingembre, la poudre de piment, le sel, les piments verts et la coriandre fraîche. Faire revenir pendant 7 à 10 minutes à feu moyen, sans que le chou-fleur se décompose.

6 Déposer les légumes sur les bords d'un plat creux, en ménageant l'espace central pour les fruits de mer. Garder au chaud.

7 Laver et sécher le wok pour y faire chauffer l'huile. Frire les fruits de mer par petits paquets, jusqu'à ce qu'ils soient bien dorés. Les retirer de l'huile à l'aide d'une écumoire et les égoutter sur du papier absorbant.

8 Déposer au fur et à mesure les fruits de mer rissolés au centre du plat, en prenant soin de le garder bien chaud pendant la cuisson du reste des fruits de mer. Décorer avec les rondelles de citron et servir immédiatement.

Filet de poisson braisé aux champignons

Cette recette est la transposition en sauté des filets de sole bonne femme, traditionnellement préparés avec une sauce au vin blanc.

INGRÉDIENTS

Pour 4 personnes

450 g de filets de limande-sole, de raie ou de carrelet
1 cuil. à café de sel
1/2 blanc d'œuf
2 cuil. à soupe de Maïzena
60 cl environ d'huile végétale
1 cuil. à soupe de ciboules finement hachées
1/2 cuil. à café de gingembre frais haché
120 g de champignons de Paris coupés en fines rondelles
1 cuil. à café de sucre roux
1 cuil. à soupe de sauce de soja claire
2 cuil. à soupe de vin de riz chinois (ou de Xérès sec)
1 cuil. à soupe de cognac
12 cl environ de bouillon de volaille
quelques gouttes d'huile de sésame

1 Enlever à l'aide d'un couteau les arêtes latérales du poisson, en laissant la peau. Découper les filets en petits morceaux et les mélanger avec le blanc d'œuf, la moitié de la Maïzena et un peu de sel.

2 Faire chauffer l'huile dans un wok jusqu'à une température moyenne, puis y plonger les morceaux de poisson. Remuer doucement afin que les morceaux ne collent pas ensemble. Les retirer au bout de 1 minute environ et les égoutter. Vider l'huile du wok, pour n'en laisser que l'équivalent de 2 cuillerées à soupe.

— SUGGESTION DU CHEF —

Choisissez de préférence des champignons de paille (ou volvaires), si vous en trouvez. Cultivés sur un lit de paille de riz qui leur donne leur nom, ils ont une texture lisse très agréable et une saveur particulièrement subtile.

3 Faire revenir les ciboules, le gingembre et les champignons pendant 1 minute. Ajouter le sucre, la sauce de soja, le vin, le cognac et le bouillon de volaille. Porter à ébullition. Plonger les filets dans la préparation et les braiser 1 minute. Ajouter la Maïzena restante pour épaissir. Remuer et asperger d'huile de sésame. Servir.

Crevettes fu-yung

Cette recette pleine de couleurs et de saveurs est facile à réaliser dans un wok. Les ingrédients peuvent être préparés longtemps à l'avance.

INGRÉDIENTS

Pour 4 personnes

3 œufs, dont 1 cuil. à café de blanc d'œuf gardée en réserve
1 cuil. à soupe de ciboules finement hachées
3 à 4 cuil. à soupe d'huile végétale
230 g de crevettes crues décortiquées
2 cuil. à café de Maïzena
175 g de petits pois
1 cuil. à soupe de vin de riz chinois (ou de Xérès sec)
sel

1 Battre les œufs en y ajoutant 1 pincée de sel et quelques morceaux de ciboules. Faire chauffer un peu d'huile dans un wok déjà chaud, à feu modéré. Verser les œufs préparés et procéder comme pour des œufs brouillés. Retirer les œufs du wok et les réserver.

2 Mélanger les crevettes avec un peu de sel, la cuillerée à café de blanc d'œuf réservée et la Maïzena. Faire revenir les petits pois dans l'huile chaude pendant 30 secondes. Ajouter les crevettes.

3 Incorporer le reste des ciboules et les faire revenir 1 minute avant de verser le mélange sur les œufs brouillés. Remuer en ajoutant le vin et un peu de sel. Servir.

Balti de poisson et sauce piquante à la noix de coco

Utilisez plutôt des filets de poisson frais, car ils auront toujours plus de goût que le poisson surgelé. Le poisson surgelé doit être totalement décongelé avant la cuisson.

INGRÉDIENTS

Pour 4 personnes

2 cuil. à soupe d'huile de maïs
1 cuil. à café de graines d'oignon
4 piments rouges séchés
3 gousses d'ail hachées
1 oignon coupé en rondelles
2 tomates coupées en rondelles
2 cuil. à soupe de poudre
    de noix de coco séchée
1 cuil. à café de sel
1 cuil. à café de coriandre moulue
4 filets de poisson plat, sole ou carrelet,
    de 75 g environ chacun
15 cl d'eau
1 cuil. à soupe de jus de citron vert
1 cuil. à soupe de coriandre hachée
accompagnement (facultatif) : riz

1 Faire chauffer l'huile dans un wok. Réduire légèrement le feu. Mettre à revenir les graines d'oignon, les piments rouges séchés, l'ail et les rondelles d'oignon, pendant 3 à 4 minutes, en remuant.

2 Ajouter les tomates, la noix de coco, le sel et la coriandre. Bien remuer.

3 Couper chaque filet de poisson en 3 morceaux. Les placer dans le mélange et les retourner doucement pour bien les enduire.

4 Faire cuire 5 à 7 minutes, en réduisant le feu si nécessaire. Ajouter l'eau, le jus de citron et la coriandre fraîche. Laisser cuire encore 3 à 5 minutes, jusqu'à ce que l'eau se soit presque totalement évaporée. Servir immédiatement avec, éventuellement, du riz.

REMARQUE PRATIQUE

Il existe une version balti du wok chinois, appelée *karahi,* ou poêle balti. Elle est le plus souvent à fond bombé et munie de deux poignées. Comme le wok, elle est traditionnellement en fonte pour résister aux très hautes températures et à l'huile brûlante qui sert à la cuisson. Il existe aujourd'hui des modèles de *karahis* fabriqués dans différents métaux, de différentes tailles, y compris pour portions individuelles.

Gâteaux de poisson thaïlandais

Le mélange de citron vert, de piments et de citronnelle fait de ces petits gâteaux de poisson une entrée parfumée, ou un en-cas très apprécié.

INGRÉDIENTS

Pour 4 personnes

500 g de filets de poisson blanc (cabillaud ou haddock)

3 ciboules coupées en rondelles

2 cuil. à soupe de coriandre hachée

2 cuil. à soupe de pâte de curry (rouge) thaïlandaise

1 piment vert frais épépiné et haché

2 cuil. de zeste de citron vert râpé

1 cuil. à soupe de jus de citron vert

2 cuil. à soupe d'huile d'arachide

sel

garniture : feuilles de laitue, ciboules coupées en lanières, rondelles de piments rouges, feuilles de coriandre et quartiers de citrons verts

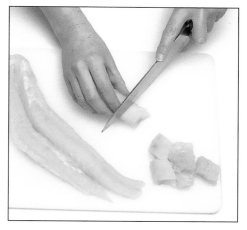

1 Découper les filets de poisson en morceaux. Verser dans un mixer.

2 Ajouter les ciboules, la coriandre, la pâte de curry, le piment vert, le zeste et le jus de citron vert. Saler. Mixer jusqu'à ce que le mélange soit finement haché.

3 Avec les mains légèrement farinées, façonner 16 petits gâteaux d'un diamètre de 4 cm environ. Les déposer sur un plateau et les placer au réfrigérateur couverts d'un film transparent, où ils refroidiront pendant 2 heures.

4 Faire chauffer un wok à grand feu avant d'y verser l'huile. Mettre à revenir les gâteaux de poisson, 4 ou 5 à la fois, pendant 6 à 8 minutes, en les retournant pour qu'ils soient bien dorés des deux côtés. Les égoutter sur du papier absorbant et les garder au chaud pendant la cuisson des gâteaux suivants. Servir sur un lit de laitue et décorer de lanières de ciboules, de rondelles de piments rouges, de feuilles de coriandre et de quartiers de citrons.

Saumon sauté aux épices

Le saumon libère tous ses arômes lorsqu'il est mariné. Comme le jus de citron vert attendrit le poisson, sa cuisson demande très peu de temps. Attention donc à ne pas le cuire trop longtemps.

INGRÉDIENTS

Pour 4 personnes
4 darnes de saumon de 230 g chacune
4 anis étoilés entiers
2 branches de citronnelle en morceaux
jus de 3 citrons verts
zestes de 3 citrons verts finement râpés
2 cuil. à soupe de miel liquide
2 cuil. à soupe d'huile de pépins de raisins
sel et poivre noir moulu
garniture : quartiers de citrons verts

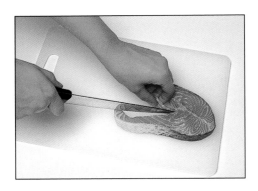

1 À l'aide d'un couteau bien aiguisé, retirer l'arête centrale de chaque darne de saumon en la séparant en deux.

2 Saupoudrer une planche à découper de 1 pincée de sel pour éviter que le poisson glisse. Couper chaque morceau en diagonale et retirer la peau en insérant le couteau à la pointe de chacun.

3 Piler grossièrement l'anis étoilé dans un mortier. Déposer le saumon dans un plat non métallique et ajouter l'anis, la citronnelle, le jus et les zestes de citron, ainsi que le miel. Saler et poivrer. Retourner les bandes de saumon pour bien les enduire. Couvrir et laisser mariner toute 1 nuit au réfrigérateur.

4 Égoutter le saumon et le sécher avec du papier absorbant. Réserver la marinade.

5 Faire chauffer un wok et y verser l'huile. Lorsque l'huile est chaude, mettre à revenir le saumon en remuant constamment, jusqu'à cuisson complète. Augmenter le feu, verser la marinade sur le saumon et porter à ébullition. Décorer de quartiers de citrons et servir.

REMARQUE PRATIQUE

L'anis étoilé contient le même type d'huile que l'anis traditionnel provenant du bassin méditerranéen, mais son aspect est très différent. Sa forme d'étoile le rend évidemment tout indiqué pour décorer un plat, c'est pourquoi la cuisine chinoise ne manque pas de l'employer entier. Les cuisiniers occidentaux l'ont adopté à leur tour pour la même raison. Cet ingrédient très important dans nombre de recettes asiatiques se trouve également dans la composition de la poudre cinq-épices. L'anis étoilé a un goût plus prononcé et plus liquoreux que son cousin européen.

Balti de poisson aux poivrons

Pour rendre cette recette encore plus attrayante, essayez de la faire avec des poivrons de nuances variées.

INGRÉDIENTS

Pour 2 à 4 personnes

450 g de cabillaud (ou d'un autre
  poisson blanc à chair ferme)
1 à 2 cuil. à café de cumin moulu
2 cuil. à café de poudre de mangue
1 cuil. à café de coriandre moulue
1/2 cuil. à café de poudre de piment
1 cuil. à café de sel
1 cuil. à café de pulpe de gingembre
3 cuil. à soupe de Maïzena
15 cl d'huile de maïs
1 poivron vert, 1 poivron jaune et
  1 poivron rouge, évidés et coupés
garniture : 8 à 10 tomates cerise

1 Ôter la peau du poisson avant de le découper en petits dés. Verser les dés dans un grand saladier et ajouter le cumin, la poudre de mangue, la coriandre moulue, la poudre de piment, le sel, la pulpe de gingembre et la Maïzena. Bien mélanger, jusqu'à ce que le poisson soit totalement enduit.

2 Faire chauffer l'huile dans le wok. Lorsqu'elle est chaude, baisser le feu et frire les morceaux de poisson par paquets de 3 ou 4, pendant 3 minutes environ, en remuant constamment.

3 Égoutter les morceaux de poisson sur du papier absorbant et les déposer sur un plat. Garder le plat au chaud pendant la cuisson des autres morceaux.

4 Faire frire les poivrons dans le reste d'huile pendant 2 minutes environ. Ils doivent garder un peu de leur croquant. Égoutter sur du papier absorbant.

5 Ajouter les poivrons au plat de poisson et garnir de tomates cerise.

SUGGESTION DU CHEF

Pour accompagner ce délicieux plat de poisson, vous pourrez servir de la raïta *(voir p. 56)* et du paratha (spécialité balti de pain sans levain).

Poisson à l'aigre-douce

Lorsque le poisson est cuit de cette manière, sa peau devient croustillante tandis que sa chair reste moelleuse et bien juteuse. La sauce aigre-douce, agrémentée de tomates cerise, s'harmonise merveilleusement avec ce poisson.

INGRÉDIENTS

Pour 4 à 6 personnes

1 grand poisson (ou 2 poissons de taille moyenne) tel que rouget, truite, loup ou carrelet, sans la tête
4 cuil. à café de Maïzena
12 cl d'huile végétale
1 cuil. à soupe d'ail haché
1 cuil. à soupe de gingembre haché
2 cuil. à soupe d'échalotes hachées
250 g de tomates cerise
2 cuil. à soupe de vinaigre de vin rouge
2 cuil. à soupe de sucre en poudre
2 cuil. à soupe de ketchup
1 cuil. à soupe de sauce de poisson
3 cuil. à soupe d'eau
sel et poivre noir moulu
garniture : feuilles de coriandre et ciboules coupées en lanières

3 Chauffer l'huile dans un wok ou une grande poêle à frire et y déposer le poisson. Réduire le feu et faire rissoler le poisson, 6 à 7 minutes de chaque côté, jusqu'à ce qu'il soit bien doré et croustillant.

4 Retirer le poisson à l'aide d'une spatule et le disposer sur un grand plat.

5 Jeter l'huile pour n'en conserver que 2 cuillerées à soupe et y faire revenir l'ail, le gingembre et les échalotes.

6 Ajouter les tomates cerise et les laisser cuire jusqu'à ce qu'elles éclatent. Incorporer le vinaigre, le sucre, le ketchup et la sauce de poisson tout en remuant. Laisser mijoter 1 à 2 minutes. Saler et poivrer.

7 Mélanger le reste de Maïzena (1 cuillerée à café) dans l'eau. Ajouter à la sauce et remuer jusqu'à ce qu'elle épaississe. Verser la sauce sur le poisson, garnir de feuilles de coriandre et de lanières de ciboules.

1 Bien rincer et nettoyer le poisson. Graver des entailles en diagonale sur les deux faces du poisson.

2 Saupoudrer le poisson de Maïzena (3 cuillerées à café environ). Secouer légèrement pour enlever le surplus.

Curry de poisson malais

Ce curry de poisson préparé au wok dans du lait de coco est un plat succulent, très apprécié des connaisseurs.

INGRÉDIENTS

Pour 4 à 6 personnes

700 g de filet de carrelet, de daurade
   ou de lotte
sel
3 cuil. à soupe de noix de coco séchée
   ou râpée
2 cuil. à soupe d'huile végétale
3 cm environ de gingembre frais
   (ou de galanga finement haché)
2 petits piments rouges finement hachés
2 gousses d'ail écrasées
1 branche de citronnelle en lanières
1 cuil. à soupe de sauce de poisson (ou
   1 morceau de pâte de crevettes de 1,5 cm)
400 g de lait de coco en boîte
60 cl de bouillon de volaille
1/2 cuil. à café de curcuma
1 cuil. à soupe de sucre en poudre
jus de 1 citron vert
garniture : coriandre et citron vert
accompagnement (facultatif) : riz

1 Découper le poisson en gros morceaux. Saler et réserver.

— SUGGESTION DU CHEF —

On sert traditionnellement avec ce curry du *sambal,* un condiment très épicé. Pour le préparer, mélangez ensemble 2 tomates pelées et coupées, 1 oignon finement haché, 1 piment vert finement haché et 2 cuillerées à soupe de jus de citron vert. Salez, poivrez, et versez le tout sur 2 cuillerées à soupe de noix de coco séchée.

2 Faire sauter la noix de coco, sans graisse, dans un wok, jusqu'à ce qu'elle soit dorée. Mettre l'huile, le gingembre, les piments, l'ail et la citronnelle, à revenir. Arroser de sauce de poisson (ou de pâte de crevettes) et remuer. Filtrer le lait de coco à travers une passoire au-dessus du wok. Réserver la partie épaisse du lait.

3 Ajouter le bouillon de volaille, le curcuma, le sucre, un peu de sel et le jus de citron. Laisser mijoter 10 minutes. Ajouter le poisson et faire mijoter encore 6 à 8 minutes. Verser la partie épaisse du lait de coco et remuer pour épaissir. Garnir de coriandre et de rondelles de citron vert avant de servir avec du riz, par exemple.

Poisson au vinaigre

La préparation de poisson à base de piments, de gingembre et de vinaigre est une spécialité indonésienne. Elle est particulièrement adaptée à des poissons gras et forts en goût tels que le maquereau, employé dans cette recette.

INGRÉDIENTS

Pour 2 à 3 personnes

2 ou 3 filets de maquereau
2 ou 3 piments rouges épépinés
4 noix de macadam ou 8 amandes
1 oignon rouge, coupé en quartiers
2 gousses d'ail écrasées
1 cm de gingembre frais, épluché et haché
1 cuil. à café de curcuma moulu
3 cuil. à soupe d'huile de noix de coco ou d'huile végétale
3 cuil. à soupe de vinaigre de vin
15 cl d'eau
sel
garniture : rondelles d'oignon frites *(voir p. 175)* et piments hachés
accompagnement (facultatif) : riz blanc ou riz à la noix de coco

1 Rincer les filets de maquereau à l'eau froide et bien les sécher avec du papier absorbant. Réserver.

SUGGESTION DU CHEF

Pour préparer le riz à la noix de coco, versez 400 g de riz long grain lavé dans une grande casserole. Ajoutez du sel, une feuille de citronnelle et 25 g de crème de noix de coco. Recouvrez de 75 cl d'eau bouillante et remuez pour empêcher les grains de coller. Laissez mijoter à feu moyen pendant 5 minutes. Aérez le riz avec une fourchette ou des baguettes avant de servir.

---

3 Déposer les filets de maquereau dans la sauce et laisser mijoter 6 à 8 minutes, pour que le poisson soit tendre et bien cuit.

2 Verser dans un mixer les piments, les noix de macadam ou les amandes, l'oignon, l'ail, le gingembre, le curcuma et 1 cuillerée à soupe d'huile. Mixer pour obtenir une pâte. (On peut également piler ensemble les ingrédients dans un mortier.) Faire chauffer le restant d'huile dans un wok. Lorsqu'elle est chaude, ajouter la pâte et laisser cuire 1 à 2 minutes sans que le mélange brunisse. Tout en remuant, ajouter le vinaigre et l'eau. Saler. Porter le mélange à ébullition, puis réduire le feu.

4 Disposer le poisson sur un plat chaud. Porter la sauce à ébullition et laisser cuire 1 minute, le temps qu'elle réduise. Verser la sauce sur le poisson, puis garnir de rondelles d'oignon frites et de piments hachés avant de servir, accompagné de riz, par exemple.

Espadon parfumé au gingembre et à la citronnelle

L'espadon est un poisson charnu à la texture très ferme, qui se cuit parfaitement dans un wok lorsqu'on l'a fait mariner au préalable. Il est parfois un peu sec, ce que la marinade permet de corriger. Si vous ne trouvez pas d'espadon, remplacez-le par du thon frais.

INGRÉDIENTS

Pour 4 à 6 personnes

1 feuille de lime de Cafre
3 cuil. à soupe de gros sel
5 cuil. à soupe de sucre roux
4 steaks d'espadon de 230 g chacun
1 branche de citronnelle en morceaux
1 morceau de gingembre
  de 2 à 3 cm environ, en allumettes
1 citron vert
1 cuil. à soupe d'huile de pépins de raisin
1 gros avocat bien mûr, pelé et dénoyauté
sel et poivre noir moulu

1 Écraser légèrement la feuille de lime entre les doigts pour qu'elle libère son arôme.

REMARQUE PRATIQUE

Les feuilles de lime de Cafre, à la forme en huit très caractéristique, sont extrêmement riches en arôme. On s'en sert beaucoup dans les cuisines indonésienne et thaïlandaise, cette dernière utilisant également l'écorce du fruit que donne cette variété de citronnier.

2 Mettre dans un mixer le gros sel, le sucre roux et la feuille de lime. Mixer pour obtenir une poudre homogène.

3 Placer les steaks d'espadon dans un saladier. Verser dessus la poudre de « marinade ». Ajouter la citronnelle et le gingembre en allumettes. Laisser reposer 3 à 4 heures.

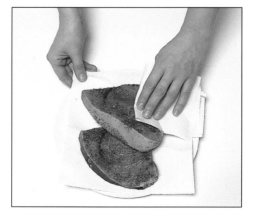

4 Rincer les steaks et les sécher avec du papier absorbant.

5 Peler le citron vert. Gratter le surplus de peau blanche à l'intérieur des pelures, avant de les couper en fines lanières. Presser le jus du citron.

6 Verser l'huile dans un wok préchauffé. Lorsqu'elle est chaude, y mettre les lanières de citron puis les steaks d'espadon. Faire revenir pendant 3 à 4 minutes. Ajouter le jus de citron. Retirer le wok du feu. Couper l'avocat en tranches et les ajouter au poisson. Saler et poivrer.

Curry vert de crevettes

Ce curry crémeux et fort parfumé est également très rapide à préparer. Vous pourrez l'adapter en remplaçant les crevettes par des lamelles de poulet.

INGRÉDIENTS

Pour 4 à 6 personnes
2 cuil. à soupe d'huile végétale
2 cuil. à soupe de pâte de curry verte
450 g de grosses crevettes décortiquées
4 feuilles de lime torsadées
1 feuille de citronnelle hachée
25 cl de lait de coco
2 cuil. à soupe de sauce de poisson
1/2 concombre, évidé
  et coupé en bâtonnets
10 à 15 feuilles de basilic
garniture : 4 piments verts en rondelles

1 Chauffer l'huile dans une poêle. Ajouter la pâte de curry et la faire revenir jusqu'à ce qu'elle libère son parfum.

2 Ajouter les crevettes, les feuilles de lime et la citronnelle. Faire revenir pendant 1 à 2 minutes.

3 Tout en remuant, ajouter le lait de coco et laisser mijoter pendant 5 minutes, afin que les crevettes deviennent tendres.

4 Ajouter la sauce de poisson, le concombre et le basilic, tout en remuant. Pour terminer, décorer de rondelles de piment et servir.

Crevettes sautées aux brocolis

Voici une recette très colorée,
à la fois nourrissante et
délicieuse, qui présente
l'avantage d'être également
simple et rapide à préparer.

INGRÉDIENTS

Pour 4 personnes
200 g environ de crevettes décortiquées
1 cuil. à café de sel
1 cuil. à soupe de vin de riz chinois
     (ou de Xérès sec)
1/2 blanc d'œuf
1 cuil. à soupe de Maïzena
250 g de brocolis
30 cl environ d'huile végétale
1 ciboule coupée en petits morceaux
1 cuil à café de sucre roux
2 cuil. à soupe de bouillon de volaille
     (ou d'eau)
1 cuil. à café de sauce de soja claire
quelques gouttes d'huile de sésame

1 Couper chaque crevette en deux dans
le sens de la longueur. Mélanger avec
1 pincée de sel, 1/2 cuillerée à café de
vin, autant de blanc d'œuf et de Maïzena.

2 Couper le brocoli en bouquets, en
retirant l'écorce des tiges, puis tailler
les bouquets en diagonale, pour obtenir
des petits losanges.

3 Chauffer l'huile dans un wok et
faire revenir les crevettes pendant
30 secondes. Les retirer avec une écumoire et bien les égoutter.

4 Jeter le surplus d'huile, pour n'en laisser que 2 cuillerées à soupe dans le
wok. Mettre à sauter les brocolis et la
ciboule pendant 2 minutes. Ajouter le
reste de sel et le sucre, puis les crevettes et
le bouillon de volaille (ou l'eau). Ajouter
le vin restant et la sauce de soja. Bien
mélanger. Verser un peu d'huile de
sésame sur le plat avant de servir.

Crabes au piment

On trouve dans toute l'Asie de nombreuses variantes des *kepiting pedas.* Ce plat laisse toujours un grand souvenir aux convives.

INGRÉDIENTS

Pour 4 personnes
2 crabes cuits, soit environ 700 g
1,5 cm de *terasi* en cube
2 gousses d'ail
2 piments rouges frais, épépinés et hachés
   (ou 1 cuil. à café de piment haché
   en bocal)
1,5 cm de gingembre frais épluché
   et haché
4 cuil. à soupe d'huile de tournesol
30 cl de ketchup
1 cuil. à soupe de sucre brun
15 cl d'eau chaude
garniture : 4 ciboules hachées
accompagnement (facultatif) :
   rondelles de concombre et toasts

1 Retirer les pattes à l'un des crabes et le retourner, la tête éloignée de soi. À l'aide du pouce, pousser la chair vers le haut de la carapace. Ôter et jeter le sac de l'estomac, ainsi que les poumons et la matière verte. Laisser dans la carapace la chair de couleur marron. Couper en deux la carapace en se servant d'un couperet ou d'un gros couteau. Couper en deux le corps et casser les pinces d'un coup de marteau ou de couperet, en évitant de les faire éclater. Répéter toute l'opération avec l'autre crabe.

2 Broyer le *terasi,* l'ail, les piments et le gingembre dans un mixer ou un mortier, jusqu'à l'obtention d'une pâte.

3 Faire chauffer un wok et y verser l'huile. Mettre à revenir la pâte d'épices sans cesser de remuer et en évitant qu'elle brunisse.

4 Tout en remuant, verser le ketchup, le sucre et l'eau. Lorsque la sauce commence à bouillir, ajouter les morceaux de crabe et bien les enduire de sauce. Lorsqu'ils sont cuits, les disposer dans un grand saladier, recouvrir de sauce et agrémenter de ciboules. Poser le saladier au centre de la table pour que chacun puisse se servir. On pourra accompagner ce plat de rondelles de concombre. Prévoir des toasts chauds, pour profiter de la sauce.

Crevettes sautées au tamarin

Le goût légèrement acide et piquant propre à de nombreux plats thaïlandais provient du tamarin. On trouve parfois dans le commerce des gousses de tamarin fraîches, mais leur préparation en cuisine est laborieuse. Les Thaïlandais préfèrent bien souvent utiliser des blocs de pâte de tamarin compacts, que l'on trempe dans l'eau et que l'on filtre ensuite.

INGRÉDIENTS

Pour 4 à 6 personnes

50 g de pâte de tamarin
15 cl d'eau bouillante
2 cuil. à soupe d'huile végétale
2 cuil. à soupe d'oignon haché
2 cuil. à soupe de sucre de palme
2 cuil. à soupe de bouillon de volaille
   (ou d'eau)
1 cuil. à soupe de sauce de poisson
6 piments rouges séchés
450 g de crevettes crues décortiquées
1 cuil. à soupe d'ail haché
2 cuil. à soupe de rondelles d'échalotes
garniture : 2 ciboules
   coupées en morceaux

1 Dans un bol, verser l'eau bouillante sur la pâte de tamarin et bien remuer pour qu'il ne reste plus de grumeaux. Laisser reposer 30 minutes. Filtrer pour récupérer autant de jus que possible. La quantité nécessaire pour cette recette est de 6 cuillerées à soupe ; le reste se conserve au réfrigérateur. Chauffer l'huile dans un wok et faire revenir l'oignon jusqu'à ce qu'il soit bien doré.

2 Ajouter le sucre, le bouillon, la sauce de poisson, les piments séchés et le jus de tamarin. Bien remuer jusqu'à dissolution du sucre. Porter à ébullition.

3 Ajouter les crevettes, l'ail et les échalotes. Faire revenir jusqu'à ce que les crevettes soient bien cuites, soit 3 à 4 minutes environ. Garnir avec les rondelles de ciboules.

Saté de crevettes

Une recette alléchante et pleine de saveurs, que l'on pourra accompagner de légumes verts ou de riz au jasmin.

INGRÉDIENTS

Pour 4 à 6 personnes
500 g de grosses crevettes décortiquées,
   avec la queue restée intacte
garniture : 1/2 botte de feuilles
   de coriandre, 4 piments rouges,
   quelques ciboules coupées en diagonale

La sauce au beurre de cacahuètes
3 cuil. à soupe d'huile végétale
1 cuil. à soupe d'ail haché
1 petit oignon haché
3 ou 4 petits piments rouges hachés
3 feuilles de lime torsadées
1 branche de citronnelle hachée
1 cuil. à café de pâte de curry doux
25 cl de lait de coco
2 cm de bâton de cannelle
75 g de beurre de cacahuètes
3 cuil. à soupe de jus de tamarin
2 cuil. à soupe de sauce de poisson
2 cuil. à soupe de sucre de palme
jus de 1/2 citron

1 Pour préparer la sauce, chauffer la moitié de l'huile dans un wok ou une grande poêle et verser dedans l'ail et l'oignon. Faire revenir 3 à 4 minutes.

2 Ajouter les piments, les feuilles de lime, la citronnelle et la pâte de curry. Laisser revenir encore 2 à 3 minutes.

--- REMARQUE PRATIQUE ---

La pâte de curry a un goût infiniment supérieur et bien plus authentique que le curry en poudre. À conserver au réfrigérateur après ouverture et à consommer avant 2 mois.

3 Incorporer le lait de coco, la cannelle, le beurre de cacahuètes, les jus de tamarin et de citron, la sauce de poisson et le sucre.

4 Bien remuer. Réduire le feu et laisser mijoter doucement pendant 15 à 20 minutes pour que la sauce épaississe. Remuer de temps en temps afin qu'elle n'attache pas.

5 Faire chauffer le reste d'huile dans un wok ou une grande poêle. Mettre à revenir les crevettes pendant 3 à 4 minutes, jusqu'à ce qu'elles rosissent et deviennent fermes au toucher.

6 Mélanger les crevettes à la sauce. Servir avec une garniture de coriandre, de piments rouges et de ciboules.

Crevettes épicées au lait de coco

Ce plat épicé s'inspire d'une recette traditionnelle d'Indonésie, le *Sambal goreng udang*. Les *sambals* sont des plats très relevés, que l'on trouve dans tout le sud de l'Inde et le Sud-Est asiatique.

INGRÉDIENTS

Pour 3 à 4 personnes

2 ou 3 piments rouges épépinés et hachés
3 échalotes hachées
1 branche de citronnelle hachée
2 gousses d'ail hachées
1 petit morceau de pâte de crevettes séchée
1/2 cuil. à café de galanga moulu
1 cuil. à café de curcuma moulu
1 cuil. à café de coriandre moulue
1 cuil. à soupe d'huile d'arachide
25 cl d'eau
2 feuilles de lime de Cafre fraîches
1 cuil. à café de sucre roux
2 tomates pelées et hachées menu
25 cl de lait de coco
700 g de grosses crevettes crues décortiquées
un peu de jus de citron
sel
garniture : ciboules coupées en lanières et copeaux de noix de coco

2 Faire chauffer un wok et y verser l'huile. Ajouter la pâte d'épices et la faire revenir 2 minutes. Incorporer ensuite l'eau, puis les feuilles de lime, le sucre et les tomates. Laisser mijoter pendant 8 à 10 minutes, jusqu'à évaporation du liquide.

1 Dans un mortier, piler ensemble les piments, les échalotes, la citronnelle, l'ail, la pâte de crevettes, le galanga, le curcuma et la coriandre jusqu'à ce que le mélange forme une pâte.

--- REMARQUE PRATIQUE ---

On trouve la pâte de crevettes séchée, très souvent utilisée dans la cuisine asiatique, dans les épiceries orientales. On pourra également s'y procurer du galanga moulu, qui ressemble beaucoup au gingembre moulu.

3 Ajouter le lait de coco et les crevettes. Faire cuire doucement en remuant pendant 4 minutes, jusqu'à ce que les crevettes deviennent roses. Ajouter un peu de jus de citron et saler. Transférer dans un plat chaud, garnir de lanières de ciboule et de copeaux de noix de coco avant de servir.

Noix de Saint-Jacques au concombre confit

Il est recommandé d'acheter les noix de Saint-Jacques dans leur coquille pour être certain de leur fraîcheur, quitte à demander au poissonnier de les ouvrir au moment de l'achat.

INGRÉDIENTS

Pour 4 à 6 personnes
8 coquilles Saint-Jacques
4 anis étoilés entiers
25 g de beurre doux
sel et poivre blanc moulu
garniture : branches de cerfeuil
    et anis étoilé

Le concombre confit

1/2 concombre épluché
sel
5 cm de gingembre frais épluché
2 cuil. à café de sucre en poudre
3 cuil. à soupe de vinaigre de riz
2 cuil. à café de jus de gingembre,
    filtré à partir d'un bocal de gingembre
garniture : graines de sésame

2 Découper le concombre en petits morceaux et les mettre dans une passoire. Saupoudrer généreusement de sel. Laisser dégorger 30 minutes.

3 Ouvrir les coquilles Saint-Jacques pour en détacher les noix et en retirer les autres parties comestibles. Couper chaque noix en 2 ou 3 tranches et réserver les coraux. Moudre grossièrement l'anis étoilé dans un mortier.

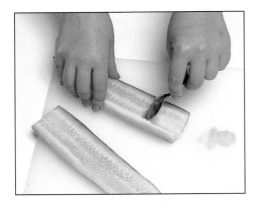

1 Pour la préparation du concombre confit, couper 1 concombre moyen en deux dans le sens de la longueur et l'évider à l'aide d'une petite cuillère.

4 Déposer les tranches de noix de Saint-Jacques et leurs coraux dans un bol. Saupoudrer d'anis étoilé. Saler et poivrer. Laisser mariner 1 heure.

5 Rincer le concombre à l'eau froide. Bien l'égoutter et le sécher sur du papier absorbant. Couper le gingembre en julienne et le mélanger avec le concombre, le sucre, le vinaigre et le jus de gingembre. Couvrir et garder au frais.

6 Faire chauffer un wok avant d'y mettre le beurre. Ajouter les noix de Saint-Jacques en tranches et les coraux pour les faire revenir 2 à 3 minutes. Garnir de cerfeuil et d'anis étoilé et servir accompagné du concombre confit, saupoudré de graines de sésame.

SUGGESTION DU CHEF

Pour préparer les noix de Saint-Jacques, tenez la coquille le côté plat vers le haut et insérez la lame d'un couteau entre les deux parties pour sectionner le muscle. Séparez les deux coquilles. Faites glisser la lame du couteau sous la noix de la coquille inférieure et coupez ainsi le second muscle. Retirez la noix et les parties comestibles : le muscle blanc et le corail ou la laitance orange. Jetez le reste.

LES VIANDES

Le porc, le bœuf et l'agneau prennent
une merveilleuse saveur lorsqu'ils
sont sautés, à condition d'utiliser
des morceaux tendres et coupés en dés
ou en lamelles de tailles égales.
Dans la plupart des préparations
qui suivent, un assortiment de légumes
variés et savoureux est cuit dans le wok
en même temps que la viande.
On servira parfois un peu de riz,
une salade ou un naan sorti du four
en accompagnement. Les recettes
sélectionnées combleront tous
les amateurs, qui pourront se régaler
d'un Sauté de porc aux litchis,
d'un Bœuf piquant au basilic,
d'un Agneau caramélisé ou encore
d'un Bœuf oriental bien fondant.

Porc à la citronnelle

Les piments et la citronnelle donnent sa saveur à ce sauté ; les cacahuètes ajoutent du croquant.

INGRÉDIENTS

Pour 4 personnes

700 g de porc dans le filet, désossé
2 branches de citronnelle coupées
4 ciboules coupées en petits morceaux
1 cuil. à café de sel
12 grains de poivre noir moulus
2 cuil. à soupe d'huile d'arachide
2 gousses d'ail hachées
2 piments rouges frais épépinés et hachés
1 cuil. à café de sucre roux
2 cuil. à soupe de sauce de poisson
    thaïlandaise *(nam pla)*
25 g de cacahuètes grillées non salées,
    hachées
sel et poivre noir moulu
garniture : feuilles de coriandre
accompagnement :
    nouilles de riz chinoises

1 Couper le surplus de gras du porc. Découper des lamelles de 5 mm d'épaisseur environ. Dans un saladier, mettre les lamelles de porc, la citronnelle, les ciboules, le sel et les grains de poivre moulus. Bien mélanger le tout, puis couvrir et laisser reposer pendant 30 minutes.

2 Faire chauffer un wok, y verser l'huile et bien la répartir. Ajouter le mélange de porc et le faire revenir 3 minutes.

3 Ajouter l'ail et les piments et faire revenir le tout 5 à 8 minutes supplémentaires à feu moyen, jusqu'à ce que le porc n'ait plus du tout l'aspect rose.

4 Incorporer le sucre, la sauce de poisson et les cacahuètes hachées, et laisser revenir en mélangeant bien. Saler et poivrer selon son goût. Servir immédiatement sur un lit de nouilles de riz, en garnissant de feuilles de coriandre torsadées.

Sauté de porc aux litchis

Le contraste entre le porc croustillant et la chair juteuse des litchis fait le charme de ce plat.

INGRÉDIENTS

Pour 4 personnes

450 g de porc gras (de la panse, par exemple)
2 cuil. à soupe de sauce *hoi-sin*
4 ciboules coupées en morceaux
175 g de litchis pelés, dénoyautés et coupés en petites tranches
sel et poivre noir moulu
garniture : branches de persil et litchis frais

1 Découper le porc en petites bouchées.

2 Verser la sauce *hoi-sin* sur le porc et laisser mariner 30 minutes.

3 Chauffer le wok, avant d'y faire sauter le porc pendant 5 minutes environ, le temps qu'il devienne doré et croustillant. Ajouter les ciboules et faire revenir encore 2 minutes.

4 Éparpiller les tranches de litchis sur le porc avant de saler et poivrer. Garnir avec les litchis frais et les branches de persil. Servir.

SUGGESTION DU CHEF

Si vous ne trouvez pas de fruits frais, les litchis en conserve, bien égouttés, font l'affaire.

Travers de porc aux haricots serpents

Voici un plat riche en saveur et bien relevé. Les haricots serpents étant difficiles à trouver, on les remplacera souvent par des haricots verts extra-fins.

INGRÉDIENTS

Pour 4 à 6 personnes
700 g de travers de porc
2 cuil. à soupe d'huile végétale
12 cl d'eau
1 cuil. à soupe de sucre de palme
1 cuil. à soupe de sauce de poisson
150 g de haricots serpents (ou de haricots
  verts extra-fins) en morceaux de 5 cm
2 feuilles de lime de Cafre coupées
garniture : 2 piments rouges en rondelles

La pâte de piments
3 piments rouges épépinés et séchés, mis
  à tremper et égouttés
4 échalotes hachées
4 gousses d'ail hachées
1 cuil. à café de galanga haché
1 branche de citronnelle hachée
6 grains de poivre noir
1 cuil. à café de pâte de crevettes
2 cuil. à soupe de crevettes séchées,
  rincées et égouttées

1 Placer dans un mortier tous les ingrédients de la pâte de piments et bien les broyer jusqu'à ce qu'ils forment une sorte de pâte épaisse.

2 Trancher et découper les travers de porc en morceaux d'environ 4 cm de long.

3 Faire chauffer l'huile dans un wok ou une poêle. Ajouter le porc et le laisser revenir 5 minutes environ, jusqu'à ce qu'il soit légèrement doré.

4 Ajouter la pâte de piments et bien remuer. Faire revenir encore 5 minutes, en continuant de remuer pour que la pâte n'attache pas au fond.

5 Verser l'eau, couvrir et laisser mijoter pendant 7 à 10 minutes, jusqu'à ce que la viande soit tendre. Assaisonner avec le sucre de palme et la sauce de poisson.

6 Ajouter les haricots et les feuilles de lime. Laisser revenir jusqu'à ce que les haricots soient cuits. Décorer de rondelles de piments rouges avant de servir.

Boulettes de viande épicées

On servira ces *pergedel djawa* avec du *sambal* ou une sauce épicée.

INGRÉDIENTS

Pour 24 boulettes

1 gros oignon grossièrement haché
1 ou 2 piments rouges frais,
  épépinés et hachés
2 gousses d'ail réduites en purée
1,5 cm de *terasi* en cube, préparé
1 cuil. à soupe de graines de coriandre
1 cuil. à café de graines de cumin
450 g de bœuf maigre haché
2 cuil. à café de sauce de soja foncée
1 cuil. à café de sucre brun
jus de 1/2 citron
un peu d'œuf battu
huile pour friture légère
sel et poivre noir fraîchement moulu
garniture : feuilles de coriandre

1 Dans un mixer, hacher grossièrement l'oignon, les piments, l'ail et le *terasi*. Ne pas mixer longtemps, car l'oignon deviendrait trop juteux et nuirait à la consistance des boulettes. Faire sauter la coriandre et le cumin dans une poêle sans graisse, pendant 1 minute environ, pour en libérer l'arôme. Ne pas les laisser brunir. Les piler ensuite dans un mortier.

2 Dans un saladier, mélanger ensemble la viande et la préparation à base d'oignon. Ajouter la coriandre et le cumin pilés, la sauce de soja, du sel et du poivre, le sucre et le jus de citron. Lier avec un peu d'œuf battu et façonner de petites boulettes.

3 Si nécessaire, laisser refroidir les boulettes pour les raffermir. Dans un wok chauffé avec l'huile, faire rissoler les boulettes, en les retournant souvent. Selon leur taille, elles cuiront en 4 à 5 minutes.

4 Retirer les boulettes du wok et bien les égoutter sur du papier absorbant. Garnir de feuilles de coriandre et servir.

Bœuf oriental

Ce somptueux bœuf sauté fond littéralement dans la bouche. Les concombres et radis confits le complètent à merveille.

INGRÉDIENTS

Pour 4 personnes
450 g de rumsteck
1 cuil. à soupe d'huile de tournesol
garniture : 4 radis entiers

La marinade
2 gousses d'ail écrasées
4 cuil. à soupe de sauce de soja brune
2 cuil. à soupe de vin de Xérès sec
2 cuil. à café de sucre brun

Le confit
6 radis
1 morceau de concombre de 10 cm
1 morceau de gingembre confit

1 Découper le rumsteck en fines lamelles dans un saladier.

2 Pour la marinade, mélanger dans un bol l'ail, la sauce de soja, le vin de Xérès et le sucre. Verser le tout sur le bœuf et laisser mariner 1 nuit.

REMARQUE PRATIQUE

La sauce de soja brune (épaisse) a un goût plus fort et plus âpre que la sauce de soja claire, qui est plus légère. Elle sert souvent à relever des plats de viande.

3 Pour le confit, découper en allumettes les radis et le concombre ; découper le gingembre confit en allumettes de plus petite taille. Bien les mélanger dans un saladier.

4 Faire chauffer un wok, puis y verser l'huile. Lorsqu'elle est chaude, ajouter la viande et la marinade et les faire sauter pendant 3 à 4 minutes. Servir accompagné du confit et décorer chaque assiette avec 1 radis.

Porc aux œufs et aux champignons

Cette recette de sauté se présente plus souvent comme une farce, à l'intérieur de petites crêpes très fines, mais elle peut faire un vrai plat complet, accompagné de riz.

INGRÉDIENTS

Pour 4 personnes

15 g de champignons chinois séchés
200 à 250 g de porc dans le filet
230 g de chou chinois
120 g de pousses de bambou
2 ciboules
3 œufs frais
1 cuil. à café de sel
4 cuil. à soupe d'huile végétale
1 cuil. à soupe de sauce de soja claire
1 cuil. à soupe de vin de riz chinois
   (ou de Xérès sec)
quelques gouttes d'huile de sésame

1 Rincer abondamment les champignons à l'eau froide et les laisser tremper dans de l'eau chaude pendant 20 à 30 minutes. Rincer à nouveau et jeter éventuellement les morceaux restés durs. Sécher et couper en fines lanières.

2 Couper le porc en lanières de la longueur d'une allumette. Couper le chou chinois, les pousses de bambou et les ciboules en fine julienne.

3 Battre les œufs en ajoutant 1 pincée de sel. Chauffer un peu d'huile dans un wok, ajouter les œufs pour les brouiller légèrement et les retirer aussitôt.

4 Chauffer le reste d'huile et y faire revenir le porc pendant 1 minute environ, jusqu'à ce qu'il change de couleur.

5 Ajouter les légumes dans le wok et faire sauter pendant 1 minute. Ajouter le reste de sel, la sauce de soja et le vin. Laisser cuire 1 minute supplémentaire avant d'y mélanger les œufs brouillés. Arroser de quelques gouttes d'huile de sésame et servir.

REMARQUE PRATIQUE

Les champignons fungis chinois poussent sur les arbres et sont généralement davantage appréciés pour leur texture originale que pour leur goût (il arrive qu'ils n'en aient quasiment aucun.) Les champignons parfumés, dont la cuisine chinoise fait grand usage, sont ceux que l'on trouve le plus facilement dans le commerce, notamment dans les épiceries asiatiques. Ils se présentent séchés et, avant de les consommer, il faut bien les rincer, puis les laisser tremper dans l'eau chaude pendant une vingtaine de minutes et les rincer une nouvelle fois.

Bœuf piquant au basilic

Voici un plat qui contentera les amateurs de cuisine pimentée ! Il est très simple à préparer.

INGRÉDIENTS

Pour 2 personnes

6 cuil. à soupe d'huile d'arachide
16 à 20 feuilles de basilic frais
275 g de rumsteck
2 cuil. à soupe de sauce de poisson
   thaïlandaise *(nam pla)*
1 cuil. à café de sucre brun
1 à 2 piments rouges frais, en rondelles
3 gousses d'ail hachées
1 cuil. à café de gingembre frais haché
1 échalote coupée en fines rondelles
2 cuil. à soupe de basilic frais haché,
   plus quelques feuilles pour décorer
un peu de jus de citron
sel et poivre noir moulu
accompagnement : riz au jasmin

1 Chauffer l'huile dans un wok. Lorsqu'elle est chaude, faire rissoler les feuilles de basilic entières pendant 1 minute environ, jusqu'à ce qu'elles soient dorées et croustillantes. Les égoutter sur du papier absorbant. Retirer le wok du feu et n'y laisser que l'équivalent de 2 cuillerées à soupe d'huile.

REMARQUE PRATIQUE

La sauce de poisson thaïlandaise, quasiment inconnue en Occident, est employée dans la cuisine thaïlandaise aussi fréquemment que l'est la sauce de soja dans la cuisine chinoise (qui la remplace d'ailleurs lorsqu'on ne trouve pas la sauce de poisson). Elles sont très proches d'aspect et de goût. On trouve la sauce de poisson thaïlandaise dans la plupart des épiceries asiatiques.

2 Découper le rumsteck en fines lamelles. Dans un bol, mélanger la sauce de poisson et le sucre. Incorporer le bœuf au mélange. Bien remuer et laisser mariner pendant 30 minutes.

3 Réchauffer le wok. Lorsqu'il est suffisamment chaud, faire revenir les piments, l'ail, le gingembre et l'échalote pendant 30 secondes. Ajouter le bœuf et le basilic haché et laisser cuire le tout 3 minutes environ. Assaisonner avec du jus de citron, du sel et du poivre.

4 Transférer le contenu du wok dans un plat chaud. Décorer de quelques feuilles de basilic et servir accompagné de riz thaïlandais au jasmin.

Porc thaïlandais à la sauce aigre-douce

Les plats à la sauce aigre-douce sont une spécialité culinaire chinoise, mais les Thaïlandais les réussissent très bien eux aussi. La version que nous vous proposons, accompagnée de riz, constitue un repas complet.

INGRÉDIENTS

Pour 4 personnes

350 g de porc maigre dans le filet
2 cuil. à soupe d'huile végétale
4 gousses d'ail coupées en fines rondelles
1 petit oignon rouge coupé
    en fines tranches
2 cuil. à soupe de sauce de poisson
1 cuil. à soupe de sucre en poudre
1 poivron rouge évidé et coupé en dés
1/2 concombre évidé et coupé en dés
2 grosses tomates coupées en morceaux
120 g d'ananas coupé en petits morceaux
poivre noir fraîchement moulu
2 ciboules coupées en petits morceaux
garniture : feuilles de coriandre
    et ciboules coupées en lanières

1 Trancher le porc en lamelles. Chauffer l'huile dans un wok ou une poêle.

2 Mettre à dorer l'ail, puis le porc. Laisser cuire pendant 4 à 5 minutes. Ajouter l'oignon.

3 Assaisonner avec la sauce de poisson, le sucre et du poivre noir. Remuer et laisser mijoter pendant 3 à 4 minutes, jusqu'à cuisson complète du porc.

4 Ajouter le reste des légumes, l'ananas et les ciboules. Si nécessaire, verser quelques cuillerées à soupe d'eau. Faire revenir pendant 3 à 4 minutes supplémentaires. Servir chaud, garni de feuilles de coriandre et de lanières de ciboules.

Bœuf grésillant et julienne de céleri

Le céleri-rave découpé en fine julienne ressemble à un petit fagot de paille. La cuisson en sauté le rend délicieusement croustillant.

INGRÉDIENTS

Pour 4 personnes
450 g de céleri-rave
15 cl d'huile végétale
1 poivron rouge
6 ciboules
450 g de rumsteck
4 cuil. à soupe de bouillon de bœuf
2 cuil. à soupe de vinaigre de Xérès
2 cuil. à café de sauce Worcester
2 cuil. à café de purée de tomates
sel et poivre noir moulu

1 Éplucher le céleri et le couper en allumettes à l'aide d'un couperet.

2 Chauffer le wok avec 10 cl d'huile. Mettre à sauter les allumettes de céleri par poignées, pour les rendre croustillantes et dorées. Bien sécher sur du papier absorbant.

3 Couper le poivron en deux pour l'évider. Le détailler, à l'aide d'un couperet, en lanières de 3 cm de long environ. Découper les ciboules en allumettes de la même longueur.

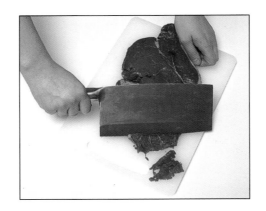

4 Trancher le rumsteck en très fines lamelles.

5 Réchauffer le wok et y verser le reste de l'huile. Lorsqu'elle est chaude, faire revenir le poivron rouge et les ciboules pendant 2 à 3 minutes.

6 Ajouter la viande et laisser revenir pendant 3 à 4 minutes supplémentaires. Ajouter ensuite le bouillon de bœuf, le vinaigre, la sauce Worcester et la purée de tomates. Saler, poivrer et servir avec la julienne de céleri.

SUGGESTION DU CHEF

Évitez d'acheter de trop gros céleris, car ils ont tendance à être durs ou bien de texture parfois désagréable. Il est plus facile d'éplucher correctement un céleri-rave – légume noueux et peu maniable par nature – en le détaillant au préalable en rondelles. Épluchez chaque rondelle avec un couteau bien aiguisé. Il sera ensuite facile de trancher ces rondelles en fines lamelles.

Bœuf sauté à la sauce d'huître

Une recette délicieuse et simple à réaliser. En Thaïlande, on trouve facilement des champignons de paille frais. Pour rendre ce plat plus attrayant, employez autant de champignons différents que vous trouverez.

INGRÉDIENTS

Pour 4 à 6 personnes

450 g de rumsteck
2 cuil. à soupe de sauce de soja
1 cuil. à soupe de Maïzena
3 cuil. à soupe d'huile végétale
1 cuil. à soupe d'ail haché
1 cuil. à soupe de gingembre haché
250 g de champignons (champignons de paille, bolets, pleurotes, cèpes, etc.)
2 cuil. à soupe de sauce d'huître
1 cuil. à café de sucre en poudre
4 ciboules coupées en petits morceaux
poivre noir fraîchement moulu
garniture : 2 piments rouges en lanières

1 Trancher le rumsteck en diagonale, pour obtenir de longues et fines lamelles. Mélanger la sauce de soja et la Maïzena dans un grand saladier. Ajouter la viande de bœuf et remuer, puis laisser mariner 1 à 2 heures.

***

— REMARQUE PRATIQUE —

La sauce d'huître, en réalité une préparation à base d'extraits d'huîtres, a un aspect onctueux et un goût qui rappelle un peu celui de la viande. Il en existe plusieurs sortes et il ne faut pas hésiter à choisir la meilleure disponible.

2 Faire chauffer la moitié de l'huile dans un wok ou une poêle. Mettre l'ail et le gingembre à revenir quelques instants. Ajouter le bœuf et remuer pour séparer les morceaux. Laisser cuire et prendre des couleurs pendant 1 à 2 minutes. Retirer du wok et réserver.

3 Faire chauffer le restant d'huile dans le wok. Mettre à revenir les différents champignons jusqu'à ce qu'ils soient tendres.

4 Remettre le bœuf dans le wok avec les champignons. Verser la sauce d'huître et le sucre. Poivrer selon son goût. Bien mélanger.

5 Ajouter les ciboules. Mélanger le tout et décorer avec des lanières de piments rouges avant de servir.

Lanières de bœuf sautées à sec

Cette méthode de cuisson est une spécialité du Sichuan. Elle consiste à laisser revenir un aliment lentement, à feu doux, jusqu'à ce qu'il soit devenu sec, puis à le faire sauter à grand feu avec les autres ingrédients.

INGRÉDIENTS

Pour 4 personnes
350 à 400 g de bifteck
1 grande carotte (ou 2 petites)
2 ou 3 branches de céleri
2 cuil. à soupe d'huile de sésame
1 cuil. à soupe de vin de riz chinois
   (ou de Xérès sec)
1 cuil. à soupe de sauce piquante
1 cuil. à soupe de sauce de soja claire
1 gousse d'ail finement hachée
1 cuil. à café de sucre roux
2 ou 3 ciboules finement hachées
1/2 cuil. à café de gingembre
   finement haché
poivre du Sichuan moulu

1 Découper le bifteck en lanières de la longueur d'une allumette. Détailler la carotte et le céleri en lanières très fines, de la même longueur.

2 Faire chauffer l'huile de sésame dans un wok préchauffé (elle se mettra rapidement à fumer). Réduire le feu et mettre à revenir les lanières de bœuf avec le vin chinois (ou le Xérès), jusqu'à ce qu'il change de couleur.

3 Verser le surplus de jus dans un autre récipient et le réserver. Laisser cuire en remuant jusqu'à ce que la viande soit totalement sèche.

4 Incorporer la sauce piquante, la sauce de soja, l'ail et le sucre. Bien mélanger, puis ajouter la carotte et le céleri. Augmenter le feu au maximum, puis ajouter les ciboules, le gingembre et le jus réservé. Continuer à remuer. Attendre que tout le jus se soit évaporé pour poivrer et servir.

Agneau épicé aux épinards

INGRÉDIENTS

Pour 3 à 4 personnes

3 cuil. à soupe d'huile végétale

500 g d'agneau maigre désossé, découpé
  en dés de 2,5 cm

1 oignon haché

3 gousses d'ail finement hachées

1 racine de gingembre de 1,5 cm de long,
  finement hachée

6 grains de poivre noir

4 clous de girofle

1 feuille de laurier

3 gousses de cardamome verte écrasées

1 cuil. à café de cumin moulu

1 cuil. à café de coriandre moulue

1 grosse pincée de poivre de Cayenne

15 cl d'eau

2 tomates pelées, évidées et hachées

1 cuil. à café de sel

400 g d'épinards frais finement hachés

1 cuil. à café de garam masala

garniture : rondelles d'oignon frites
  (voir p. 175) et branches
  de coriandre fraîches

accompagnement : pain naan
  ou riz basmati épicé

1 Faire chauffer un wok. Verser 2 cuille-rées à soupe d'huile et bien l'étaler dans le wok. Mettre à revenir la viande en plusieurs fois, jusqu'à ce qu'elle soit dorée uniformément, puis la retirer du feu et réserver. Faire revenir l'oignon, l'ail et le gingembre en utilisant l'huile restante (1 cuillerée à soupe) pendant 2 à 3 minutes.

2 Ajouter les grains de poivre, les clous de girofle, la feuille de laurier, les gous-ses de cardamome, le cumin, la coriandre moulue et le poivre de Cayenne. Faire revenir 30 à 45 secondes. Remettre la viande dans le wok et ajouter l'eau, les tomates et le sel. Porter à ébullition. Couvrir et laisser mijoter à feu très doux pendant 1 heure environ, en remuant de temps à autre.

3 Augmenter le feu, puis ajouter pro-gressivement les épinards en remuant pour bien mélanger. Ne pas cesser de cuire en remuant, jusqu'à ce que les épi-nards se fanent complètement et que presque tout le liquide se soit transformé en une sauce verte épaisse. Incorporer le garam masala tout en remuant. Décorer avec des rondelles d'oignon frites et des branches de coriandre. Servir accompa-gné de pain naan ou de riz basmati épicé.

Agneau caramélisé

Dans les plats sautés sucrés, le citron et le miel sont souvent combinés. Cette recette prouve qu'une telle association convient également très bien aux plats salés. Accompagnez l'agneau d'un mélange de salades fraîches.

INGRÉDIENTS

Pour 4 personnes
450 g d'agneau désossé
1 cuil. à soupe d'huile de pépins de raisin
200 g de haricots mange-tout
   (ou de cocos plats)
3 ciboules coupées en rondelles
2 cuil. à soupe de miel liquide
jus de 1/2 citron
2 cuil. à soupe de coriandre hachée
1 cuil. à soupe de graines de sésame
sel et poivre noir moulu

1 Découper l'agneau en fines lamelles à l'aide d'un couperet.

> — SUGGESTION DU CHEF —
>
> Cette recette fonctionne parfaitement avec du porc ou du poulet à la place de l'agneau. Dans le cas du poulet, remplacez la coriandre par du basilic frais haché.

2 Chauffer le wok avant d'y verser l'huile. Lorsqu'elle est chaude, mettre à sauter la viande jusqu'à ce qu'elle soit dorée uniformément. La retirer du wok et la réserver au chaud.

3 Verser les haricots mange-tout (ou les cocos plats) et les ciboules dans le wok chaud, et les faire sauter 30 secondes.

4 Remettre la viande dans le wok, puis ajouter le miel, le jus de citron, la coriandre hachée et les graines de sésame. Saler et poivrer en quantité assez importante. Bien remuer le tout. Porter à ébullition et laisser l'agneau se caraméliser pendant 1 minute. Servir immédiatement.

Balti d'agneau tikka

L'une des meilleures méthodes pour attendrir la viande consiste à la faire mariner dans de la papaye. Celle-ci ne doit pas être trop mûre afin de ne pas sucrer le plat. On trouve de la papaye fraîche dans de nombreuses grandes surfaces.

INGRÉDIENTS

Pour 4 personnes

700 g d'agneau désossé
1 papaye pas trop mûre
3 cuil. à soupe de yaourt nature
1 cuil. à café de pulpe de gingembre
1 cuil. à café de poudre de piment
1 cuil. à café de purée d'ail
1 pincée de curcuma
2 cuil. à café de coriandre moulue
1 cuil. à café de cumin moulu
2 cuil. à soupe de jus de citron
1 cuil. à soupe de coriandre fraîche hachée
1 pincée de colorant alimentaire rouge
30 cl d'huile de maïs
sel
garniture : quartiers de citron, rondelles d'oignons et feuilles de coriandre
accompagnement : raïta et pain naan

1 Détailler l'agneau en dés dans un grand saladier. Éplucher la papaye, la couper en deux et retirer les pépins. Découper la chair du fruit en dés et la passer au mixer pour la réduire en pulpe. Ajouter une cuillerée à soupe d'eau si nécessaire.

2 Verser 2 bonnes cuillerées à soupe de pulpe de papaye sur les dés d'agneau. Bien imprégner les morceaux et laisser mariner pendant au moins 3 heures.

3 Mélanger le yaourt, le gingembre, la poudre de piment, l'ail, le curcuma, les deux types de coriandre, le cumin, le jus de citron et le colorant avec 2 cuillerées à soupe d'huile. Saler et réserver.

4 À l'aide d'une cuillère, verser la préparation au yaourt sur la viande et bien remuer.

5 Faire chauffer l'huile restante dans un wok. Lorsqu'elle est chaude, réduire légèrement le feu et y déposer les dés d'agneau par paquets de 3 ou 4 à la fois. Frire la viande pendant 5 à 7 minutes, jusqu'à ce qu'elle soit tendre et bien cuite. La transférer au fur et à mesure sur un plat qui doit rester chaud pendant que le reste de la viande cuit.

6 Lorsque toute la viande est cuite, décorer le plat avec des quartiers de citron, des rondelles d'oignon et de la coriandre fraîche. Accompagner de pain naan et de raïta.

SUGGESTION DU CHEF

Vous pouvez remplacer la papaye par une marinade toute prête, que vous trouverez en supermarché. Elle est généralement de bonne qualité, mais l'attendrissement de la viande prend plus de temps : il faudra la laisser mariner toute 1 nuit.

Poivrons verts farcis

Les poivrons farcis prennent une nouvelle dimension lorsqu'ils sont frits et servis avec une sauce piquante.

INGRÉDIENTS

Pour 4 personnes

250 g d'émincé de porc
4 à 6 châtaignes d'eau finement hachées
2 ciboules finement hachées
1/2 cuil. à café de gingembre frais finement haché
1 cuil. à soupe de sauce de soja claire
1 cuil. à soupe de vin de riz chinois (ou de Xérès sec)
3 à 4 poivrons verts évidés
1 cuil. à soupe de Maïzena
huile de friture végétale

La sauce

2 cuil. à café de sauce de soja claire
1 cuil. à café de sucre roux
1 ou 2 piments frais finement hachés (facultatif)
5 cuil. à soupe de bouillon (ou d'eau)

1 Mélanger dans un saladier le porc, les châtaignes d'eau, les ciboules, le gingembre, la sauce de soja et le vin chinois (ou le Xérès).

2 Couper les poivrons verts en deux ou en quatre. Farcir ensuite avec le mélange précédent et saupoudrer de Maïzena.

3 Dans un wok préchauffé, faire chauffer l'huile. Frire les poivrons farcis à l'envers pendant 2 à 3 minutes. Les retirer de l'huile et les égoutter.

--- SUGGESTION DU CHEF ---

Pour cette recette, il est possible de remplacer le porc par du bœuf ou de l'agneau.

4 Jeter le surplus d'huile, puis remettre les poivrons farcis dans le wok, à l'endroit cette fois. Ajouter les ingrédients de la sauce, en secouant légèrement le wok afin qu'ils n'attachent pas au fond. Laisser braiser pendant 2 à 3 minutes. Retirer délicatement les poivrons farcis pour les disposer sur un plat. Les arroser de sauce avant de servir.

Porc sauté aux légumes

Voici la recette classique de viande sautée aux légumes, adaptable à toutes sortes de viandes et de légumes selon les saisons.

INGRÉDIENTS

Pour 4 personnes

250 g de porc dans le filet
1 cuil. à soupe de sauce de soja claire
1 cuil. à café de sucre roux
1 cuil. à café de vin de riz chinois
    (ou de Xérès sec)
2 cuil. à café de Maïzena
120 g de haricots mange-tout
    (ou de cocos plats)
120 g de champignons de Paris
1 carotte
1 ciboule
4 cuil. à soupe d'huile végétale
1 cuil. à café de sel
bouillon de volaille (facultatif)
quelques gouttes d'huile de sésame

1 Découper le porc en petites lamelles, de la taille d'un gros timbre-poste. Faire mariner dans le mélange préparé avec 1 cuillerée à café de sauce de soja, le sucre roux, le vin chinois (ou le Xérès) et la Maïzena.

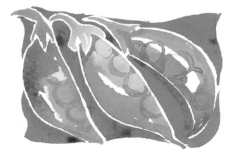

2 Équeuter les haricots mange-tout (ou les cocos plats). Couper les champignons et la carotte en tranches fines. Découper la ciboule en petits morceaux.

3 Faire chauffer l'huile dans un wok préchauffé et laisser revenir le porc pendant 1 minute, jusqu'à ce qu'il change de couleur. Le retirer de l'huile avec une écumoire et le garder au chaud pendant la cuisson des légumes.

4 Verser les légumes dans le wok et les faire revenir pendant 2 minutes environ. Ajouter le sel et le porc partiellement cuit, ainsi qu'un peu de bouillon de volaille (ou d'eau) si nécessaire. Poursuivre la cuisson, en remuant, pendant 1 minute environ, puis ajouter le reste de sauce de soja et bien mélanger. Asperger d'un peu d'huile de sésame avant de servir.

Boulettes parfumées thaïlandaises

INGRÉDIENTS

Pour 4 à 6 personnes

450 g d'émincé de porc ou de bœuf
1 cuil. à soupe d'ail haché
1 branche de citronnelle finement hachée
4 ciboules finement hachées
1 cuil. à soupe de coriandre fraîche
    hachée
2 cuil. à soupe de pâte de curry rouge
1 cuil. à soupe de jus de citron
1 cuil. à soupe de sauce de poisson
1 œuf
sel et poivre noir fraîchement moulu
un peu de farine de riz
huile de friture
garniture : quelques branches
    de coriandre

La sauce au beurre de cacahuètes

1 cuil. à soupe d'huile végétale
1 cuil. à soupe de pâte de curry rouge
2 cuil. à soupe de beurre de cacahuètes
1 cuil. à soupe de sucre de palme
1 cuil. à soupe de jus de citron
25 cl de lait de coco

1 Pour confectionner la sauce, chauffer l'huile végétale dans une petite casserole. Mettre à revenir la pâte de curry pendant 1 minute.

2 Tout en remuant, verser les autres ingrédients de la sauce et porter à ébullition. Réduire le feu et laisser mijoter 5 minutes, jusqu'à épaississement de la sauce.

3 Pour confectionner les boulettes, mélanger tous les ingrédients, à l'exception de la farine de riz, de l'huile et de la coriandre. Saler et poivrer. Bien remuer.

4 Malaxer cette pâte de viande et en façonner de petites boulettes de la taille d'une noix. Saupoudrer ensuite de farine de riz.

5 Faire chauffer l'huile dans un wok préchauffé. Lorsqu'elle est suffisamment chaude, y plonger les boulettes par fournées de 4 ou 5 à la fois et les frire jusqu'à ce qu'elles soient bien dorées. Égoutter sur du papier absorbant. Décorer avec quelques branches de coriandre et servir accompagné de la sauce au beurre de cacahuètes.

Omelette farcie à la thaïlandaise

INGRÉDIENTS

Pour 4 personnes

2 cuil. à soupe d'huile végétale
2 gousses d'ail finement hachées
1 petit oignon finement haché
230 g d'émincé de porc
2 cuil. à soupe de sauce de poisson
1 cuil. à café de sucre en poudre
poivre noir fraîchement moulu
2 tomates pelées et hachées
1 cuil. à soupe de coriandre fraîche
    hachée

L'omelette

5 ou 6 œufs
1 cuil. à soupe de sauce de poisson
2 cuil. à soupe d'huile végétale
garniture : branches de coriandre et
    piments rouges coupés en rondelles

1 Faire chauffer 2 cuillerées à soupe d'huile dans un wok ou une poêle à frire. Mettre à revenir l'ail et l'oignon pendant 3 à 4 minutes. Tout en remuant, ajouter le porc et le faire sauter 7 à 10 minutes pour qu'il soit légèrement doré.

2 Ajouter la sauce de poisson, le sucre, le poivre moulu et les tomates. Bien remuer pour obtenir un mélange homogène et laisser mijoter jusqu'à ce que la sauce épaississe légèrement. Ajouter la coriandre fraîche.

3 Pour l'omelette, battre ensemble les œufs et la sauce de poisson.

4 Faire chauffer 1 cuillerée à soupe d'huile dans une poêle ou un wok. Verser la moitié des œufs battus et bien les étaler.

5 Lorsque l'omelette commence à prendre, déposer, à l'aide d'une cuillère, la moitié de la farce au centre. Replier les bords de l'omelette, d'abord le haut et le bas, puis les côtés, pour obtenir un beau carré.

6 Déposer l'omelette à l'envers sur un plat chaud. Répéter toute l'opération avec le reste des œufs, de l'huile et de la sauce. Décorer avec des branches de coriandre et des rondelles de piments rouges.

LES VOLAILLES

*La volaille – particulièrement le poulet –
est sans doute l'ingrédient qui offre
la plus grande variété de préparations,
dont les pages qui suivent proposent un
savoureux échantillon. Vous trouverez
notamment les classiques* Poulet
à la sichuanaise *ou* Saté de poulet à
l'indonésienne, *des plats familiaux
tels que le* Poulet sauté aux noix
de cajou, *mais également quelques
recettes plus originales et exotiques,
parmi lesquelles le* Canard
à l'aigre-douce aux mangues *ou
le* Balti de coquelets à la sauce au
tamarin. *Il y en a pour tous les goûts,
que l'on apprécie les arômes subtils
d'une cuisine raffinée ou que l'on préfère
le caractère affirmé des recettes épicées.*

Poulet Fu-yung

Certains cuisiniers surnomment cette recette la «friture de lait», car on y frit un mélange de lait et de blancs d'œufs.

INGRÉDIENTS

Pour 4 personnes
150 g d'escalope de poulet sans la peau
1 cuil. à café de sel
4 blancs d'œufs légèrement battus
1 cuil. à soupe de pâte de Maïzena
   (voir p. 30)
2 cuil. à soupe de lait
huile de friture végétale
1 cœur de laitue séparé en feuilles
12 cl environ de bouillon de volaille
1 cuil. à soupe de vin de riz chinois
   (ou de Xérès sec)
1 cuil. à soupe de petits pois
quelques gouttes d'huile de sésame
garniture : 1 cuil. à café de jambon haché

1 Hacher finement la viande de poulet, puis ajouter 1 pincée de sel, les blancs d'œufs, la pâte de Maïzena et le lait. Bien mélanger, pour obtenir une sorte de pâte lisse et homogène.

2 Chauffer l'huile dans un wok très chaud. Avant qu'elle ne soit devenue trop chaude, y plonger de grandes cuillerées de la préparation au poulet. Ne pas remuer afin d'éviter que les blocs se désagrègent. Les faire remonter en remuant l'huile au fond du wok et les retirer dès qu'ils sont devenus très blancs. Égoutter.

3 Jeter le surplus d'huile, pour n'en laisser que 1 cuillerée à soupe dans le wok. Faire revenir les feuilles de laitue pendant 1 minute. Saler légèrement, puis ajouter le bouillon et porter à ébullition.

4 Remettre le poulet dans le wok, puis ajouter le vin et les petits pois. Bien mélanger. Arroser de quelques gouttes d'huile de sésame. Garnir de jambon haché avant de servir.

Poulet à la sichuanaise

Le wok est l'ustensile idéal pour cette recette. Les saveurs se mélangent admirablement et le poulet est bien croustillant.

INGRÉDIENTS

Pour 4 personnes

350 g de cuisses de poulet désossées, sans la peau
un peu de sel
1/2 blanc d'œuf légèrement battu
2 cuil. à café de pâte de Maïzena
 (voir p. 30)
1 poivron vert évidé
4 cuil. à soupe d'huile végétale
3 ou 4 piments rouges séchés, trempés pendant 10 minutes et égouttés
1 ciboule coupée en petits morceaux
quelques morceaux de gingembre épluché
1 cuil. à soupe de pâte de haricots sucrée (ou de sauce *hoi-sin*)
1 cuil. à café de pâte de haricots pimentée
1 cuil. à soupe de vin de riz chinois (ou de Xérès sec)
120 g de noix de cajou grillées
un peu d'huile de sésame

1 Découper le poulet en petits dés, de la taille d'un sucre. Dans un saladier, mélanger ensemble le poulet, le sel, le 1/2 blanc d'œuf et la pâte de Maïzena.

2 Couper le poivron vert en dés de la même taille que les dés de poulet.

3 Chauffer l'huile dans un wok préchauffé. Faire sauter les dés de poulet pendant 1 minute environ, jusqu'à ce qu'ils changent de couleur. Les retirer du wok avec une écumoire et les réserver au chaud.

4 Ajouter le poivron vert, les piments, la ciboule et le gingembre. Faire revenir pendant 1 minute. Mettre ensuite le poulet, la pâte de haricots sucrée ou la sauce *hoi-sin,* la pâte de haricots pimentée et le vin chinois (ou le Xérès). Bien mélanger et cuire 1 minute supplémentaire. Incorporer les noix de cajou et l'huile de sésame.

Saté de poulet à l'indonésienne

Traditionnellement, le saté
fait partie d'un grand festin qui
réunit près de 40 plats différents
servis avec un grand bol de riz
blanc. Il est également possible
de préparer un saté moins
important, telle cette succulente
préparation de poulet à la crème
de coco qui peut se déguster
à tout moment.

INGRÉDIENTS

Pour 4 personnes

50 g de cacahuètes fraîches
3 cuil. à soupe d'huile végétale
1 petit oignon finement haché
2,5 cm de racine de gingembre, épluchée
 et finement hachée
1 gousse d'ail écrasée
700 g de cuisses de poulet, sans la peau,
 découpées en dés
90 g de crème de coco solide,
 grossièrement coupée
1 cuil. à soupe de sauce piquante
4 cuil. à soupe de beurre de cacahuètes
1 cuil. à café de sucre brun
15 cl de lait
1 grosse pincée de sel

1 Écosser les cacahuètes et les frotter
entre les doigts pour en retirer la peau.
Les verser dans un bol et les recouvrir
d'eau. Les laisser tremper 1 minute, puis
les égoutter et les couper en petits éclats.

2 Dans un wok préchauffé avec 1 cuillerée à café d'huile, faire dorer les
cacahuètes pendant 1 minute, pour les
rendre croustillantes. Les retirer du wok et
les égoutter sur du papier absorbant.

3 Verser l'huile restante dans le wok
chaud. Lorsqu'elle est chaude, faire
revenir l'oignon, le gingembre et l'ail
pendant 2 à 3 minutes. Les retirer à l'aide
d'une écumoire avant qu'ils ne brunissent
et les égoutter sur du papier absorbant.

4 Verser les morceaux de poulet dans le
wok et les faire sauter 3 à 4 minutes,
jusqu'à ce qu'ils soient croustillants et
dorés sur toute leur surface. Les enfiler sur
des brochettes en bambou humides et les
garder au chaud dans le four.

5 Faire fondre les morceaux de crème de
coco dans le wok encore chaud. Ajouter la sauce piquante, le beurre de cacahuètes et la préparation au gingembre.
Laisser mijoter 2 minutes. Tout en remuant,
ajouter le sucre, le lait et le sel, puis laisser
mijoter 3 minutes supplémentaires. Servir
les brochettes chaudes, accompagnées d'un
bol de cette sauce pimentée saupoudrée
d'éclats de cacahuètes grillées.

—— SUGGESTION DU CHEF ——

Trempez les brochettes en bambou pendant
au moins 2 heures – ou, mieux, toute 1 nuit –
dans de l'eau froide. De cette manière, elles
ne carboniseront pas lorsque vous garderez
le poulet au chaud dans le four.

Poulet à la sauce piquante

Cette recette de poulet tire sa saveur d'une préparation à base de citronnelle et de gingembre. Les ingrédients mijotés dans un wok donnent un résultat délicieux.

INGRÉDIENTS

Pour 4 à 6 personnes

3 cuisses, 3 pieds et 3 pilons de poulet
1 cuil. à soupe d'huile végétale
1 racine de gingembre de 2 cm de long, épluchée et finement hachée
1 gousse d'ail écrasée
1 petit piment rouge épépiné et haché
1 tige de citronnelle de 5 cm de long, coupée en lanières
15 cl de bouillon de volaille
1 cuil. à soupe de sauce de poisson (facultatif)
2 cuil. à café de sucre
1/2 cuil. à café de sel
jus de 1/2 citron
50 g de cacahuètes fraîches
garniture : 2 cuil. à soupe de menthe fraîche, 2 ciboules coupées en lanières et écorce de 1 mandarine (ou de 1 clémentine) coupée en lanières
accompagnement : riz ou nouilles de riz

1 Avec le talon de la lame d'un couteau, casser la partie étroite des pilons de poulet. Retirer l'articulation des pilons et des os de cuisses avant d'ôter la peau.

2 Faire chauffer l'huile dans un grand wok préchauffé. Mettre à cuire le poulet, le gingembre, l'ail, le piment et la citronnelle, pendant 3 à 4 minutes. Ajouter le bouillon de volaille, la sauce de poisson (facultatif), le sucre, le sel et le jus de citron. Réduire le feu, couvrir et laisser mijoter pendant 30 à 35 minutes.

3 Faire griller les cacahuètes à feu moyen jusqu'à ce qu'elles soient dorées uniformément, environ 2 à 3 minutes. Les verser sur une serviette qui sera ensuite refermée et frottée énergiquement, afin de détacher la peau des cacahuètes.

4 Servir le poulet garni des cacahuètes grillées, des lanières de ciboules, d'écorce de mandarine (ou de clémentine) et de menthe hachée. Accompagner de riz ou de nouilles de riz.

--- SUGGESTION DU CHEF ---

Cette recette fonctionne très bien avec du canard. Ne pas oublier d'ôter l'articulation des pilons et de l'os des cuisses, ce qui facilitera la dégustation avec des baguettes.

Poulet sauté aux piments et au basilic

Cette recette de poulet, rapide et simple d'exécution, constitue une excellente introduction à la cuisine thaïlandaise. Le basilic thaïlandais a une saveur piquante et épicée très caractéristique. La friture lui apporte encore une autre dimension. Les feuilles abîmées se reconnaissent à leurs bords dentelés.

INGRÉDIENTS

Pour 4 à 6 personnes
3 cuil. à soupe d'huile végétale
4 gousses d'ail coupées en rondelles
2 à 4 piments rouges épépinés et hachés
450 g de blancs de poulet coupés
  en petits morceaux
2 à 3 cuil. à soupe de sauce de poisson
2 cuil. à soupe de sauce de soja brune
1 cuil. à café de sucre
10 à 12 feuilles de basilic thaïlandais
garniture : 2 piments rouges coupés en
  fines rondelles et 20 feuilles de basilic
  thaïlandais frites (facultatif)

1 Faire chauffer l'huile dans un grand wok, en l'étalant bien.

2 Faire sauter l'ail et les piments jusqu'à ce qu'ils soient dorés.

4 Assaisonner avec la sauce de poisson, la sauce de soja et le sucre. Faire revenir encore 3 à 4 minutes, jusqu'à cuisson complète du poulet. Tout en remuant, incorporer les feuilles de basilic. Décorer de rondelles de piment et de basilic frit.

3 Ajouter le poulet et le laisser revenir jusqu'à ce qu'il change de couleur.

SUGGESTION DU CHEF

Pour réussir la friture des feuilles de basilic thaïlandais, il faut qu'elles soient bien sèches. Faites-les frire pendant 30 à 40 secondes dans le wok, avant de les sécher sur du papier absorbant.

Poulet sauté aux noix de cajou

La sauce *hoi-sin* ajoute au poulet sauté une note légèrement sucrée, et les noix de cajou un agréable contraste de texture.

INGRÉDIENTS

Pour 4 personnes

75 g de noix de cajou
1 poivron rouge
450 g d'escalopes de poulet sans la peau
3 cuil. à soupe d'huile d'arachide
4 gousses d'ail finement hachées
2 cuil. à soupe de vin de riz chinois
   (ou de Xérès sec)
3 cuil. à soupe de sauce *hoi-sin*
2 cuil. à soupe d'huile de sésame
parties vertes de 5 à 6 ciboules, coupées
   en morceaux de 2 à 3 cm

2 Couper le poivron rouge en deux et le vider. Le trancher ensuite en fines lamelles. Découper le poulet en lamelles de la taille d'un doigt.

4 Ajouter le vin et la sauce *hoi-sin*. Poursuivre la cuisson jusqu'à ce que le poulet soit tendre et que tous les ingrédients soient bien enduits.

1 Faire chauffer un wok, puis y faire sauter les noix de cajou sans matière grasse, à feu doux ou moyen, pendant 1 à 2 minutes, jusqu'à ce qu'elles soient dorées. Retirer du wok et réserver.

3 Réchauffer le wok. Lorsqu'il est suffisamment chaud, verser l'huile en l'étalant bien. Mettre l'ail à grésiller dans l'huile pendant quelques secondes. Ajouter ensuite le poivron et les lamelles de poulet. Faire revenir le tout pendant 2 minutes.

5 En fin de cuisson, tout en remuant, verser l'huile de sésame, les noix de cajou grillées et les pointes de ciboules. Servir rapidement.

SUGGESTION DU CHEF

On peut remplacer les noix de cajou par des amandes blanchies. Pour donner au plat un goût légèrement moins sucré, une sauce de soja légère (claire) peut se substituer à la sauce hoi-sin.

Poulet, jambon et brocolis sautés

Les Chinois donnent à ce plat coloré et savoureux un nom très poétique : «fleur dorée et poulet de l'arbre de jade» *(jin hua yi shu ji)*. Cette merveilleuse recette se présente comme un buffet froid à servir en toutes occasions.

INGRÉDIENTS

Pour 6 à 8 personnes

1 poulet d'environ 1,2 kg
2 ciboules
2 ou 3 morceaux de gingembre frais
1 cuil. à soupe de sel
275 g de jambon cuit au miel
300 g de brocolis
3 cuil. à soupe d'huile végétale
1 cuil. à café de sucre roux
2 cuil. à café de Maïzena

1 Déposer le poulet dans une grande casserole et le recouvrir d'eau froide. Ajouter les ciboules, le gingembre et environ 2 cuillerées à café de sel. Porter à ébullition, puis réduire le feu et couvrir hermétiquement pour laisser mijoter pendant 10 à 15 minutes. Éteindre le feu et laisser cuire le poulet dans l'eau encore 4 ou 5 minutes ; ne pas ôter le couvercle pendant cette étape.

2 Retirer le poulet de la casserole et réserver le jus de cuisson. Séparer la viande des os, en gardant la peau. Découper ensuite le poulet et le jambon en morceaux de la taille d'une petite boîte d'allumettes. Disposer sur un plat en alternant jambon et poulet.

3 Découper les brocolis en petits bouquets et les faire frire dans l'huile chaude avec le sucre et le reste de sel pendant 2 à 3 minutes. Disposer les bouquets de brocolis entre les rangées de jambon et de poulet et tout autour, pour créer un effet géométrique.

4 Chauffer 2 cuillerées à soupe du jus de cuisson du poulet, puis épaissir avec la Maïzena. Remuer, puis le verser uniformément sur le poulet et le jambon, afin de former une pellicule transparente. Laisser refroidir avant de servir.

Poulet sauté à l'aigre-douce

Cette recette est un repas complet, influencé par la cuisine du Sud-Est asiatique. Elle conviendra parfaitement aux cuisiniers qui disposent de peu de temps.

INGRÉDIENTS

Pour 4 personnes

275 g de nouilles chinoises aux œufs
2 cuil. à soupe d'huile végétale
3 ciboules hachées
1 gousse d'ail écrasée
2 à 3 cm de racine de gingembre
  épluchée et râpée
1 cuil. à café de paprika fort
1 cuil. à café de coriandre moulue
3 escalopes de poulet en petites tranches
120 g de pois gourmands équeutés
120 g de mini-épis de maïs coupés en deux
230 g de germes de soja frais
1 cuil. à soupe de Maïzena
3 cuil. à soupe de sauce de soja
3 cuil. à soupe de jus de citron
1 cuil. à soupe de sucre
sel
garniture : 3 cuil. à soupe de coriandre
  moulue ou de pointes de ciboules

1 Remplir une grande casserole d'eau salée et porter à ébullition. Verser les nouilles dedans. S'il s'agit de nouilles en sachet, se reporter au temps de cuisson conseillé. Dans le cas de nouilles fraîches, une cuisson de quelques minutes est suffisante. Il faut bien remuer pour les séparer. Les égoutter après cuisson et les couvrir pour qu'elles restent chaudes.

2 Faire chauffer l'huile dans un wok préchauffé. Mettre à revenir les ciboules à feu doux. Ajouter l'ail, le gingembre, le paprika, la coriandre et le poulet. Faire sauter pendant 3 à 4 minutes.

3 Ajouter les pois gourmands, les épis de maïs et les germes de soja. Couvrir et laisser cuire un court moment. Incorporer les nouilles.

4 Dans un bol, mélanger la Maïzena, la sauce de soja, le jus de citron et le sucre. Verser dans le wok et laisser mijoter jusqu'à épaississement. Servir rapidement, décoré de coriandre moulue ou de pointes de ciboules.

SUGGESTION DU CHEF

Les grands couvercles de wok sont encombrants, surtout dans une petite cuisine. On peut les remplacer, le cas échéant, par un disque de papier sulfurisé posé à la surface des aliments pour conserver leur jus à la cuisson.

Balti de poulet aux lentilles

Le mélange des saveurs peut sembler étonnant, mais vaut la peine d'être essayé. La poudre de mangue confère à ce plat une saveur délicieusement piquante.

INGRÉDIENTS

Pour 4 à 6 personnes

75 g de lentilles jaunes concassées
4 cuil. à soupe d'huile de maïs
2 poireaux moyens hachés
6 gros piments rouges séchés
4 feuilles de curry
1 cuil. à café de graines de moutarde
2 cuil. à café de poudre de mangue
2 tomates moyennes hachées
1/2 cuil. à café de poudre de piment
1 cuil. à café de coriandre moulue
450 g de poulet désossé, sans la peau et découpé en dés
sel
garniture : 1 cuil. à soupe de coriandre fraîche hachée
accompagnement : paratha

1 Dans une passoire, rincer abondamment les lentilles à l'eau froide.

2 Verser les lentilles dans une casserole et les recouvrir d'eau. Porter à ébullition, puis laisser cuire 1 dizaine de minutes, jusqu'à ce qu'elles commencent à ramollir. Rincer abondamment, puis transférer dans un saladier et réserver.

3 Chauffer l'huile dans un wok préchauffé. Réduire le feu et y mettre les poireaux, les piments rouges séchés, les feuilles de curry et les graines de moutarde. Faire revenir pendant 2 à 3 minutes.

4 Ajouter la poudre de mangue, les tomates, la poudre de piment, la coriandre moulue et le poulet. Saler et faire revenir 7 à 10 minutes.

5 Ajouter les lentilles cuites et laisser revenir encore 2 minutes, jusqu'à cuisson complète du poulet.

6 Décorer de coriandre fraîche et servir accompagné de paratha.

SUGGESTION DU CHEF

Les lentilles jaunes concassées *(chana dhal)* s'achètent dans les épiceries asiatiques. Si vous n'en trouvez pas, des pois cassés jaunes feront très bien l'affaire.

Poulet aromatique de Madura

Le *magadip* se prépare longtemps à l'avance, afin que toutes les saveurs imprègnent bien la chair du poulet, ce qui le rend encore meilleur. On l'accompagne d'une salade de concombre.

INGRÉDIENTS

Pour 4 personnes
1 poulet de 1,5 kg découpé en quartiers
1 cuil. à café de sucre
2 cuil. à soupe de graines de coriandre
2 cuil. à café de graines de cumin
6 gousses d'ail entières
1/2 cuil. à café de noix de muscade moulue
1/2 cuil. à café de curcuma moulu
1 petit oignon
1 racine de gingembre frais de 2 à 3 cm de long, épluchée et coupée en morceaux
30 cl de bouillon de volaille (ou d'eau)
sel et poivre noir fraîchement moulu
accompagnement : riz blanc et rondelles d'oignon frites *(voir p. 175)*

1 Découper chaque quartier de poulet en deux pour obtenir 8 morceaux. Les disposer dans une casserole. Saupoudrer de sucre et de sel, et bien remuer. Cette préparation permet de mieux libérer les sucs du poulet. On peut utiliser la carcasse du poulet pour faire un bouillon qui servira dans d'autres recettes.

— SUGGESTION DU CHEF —

Ajoutez un peu de gingembre et 1 petit oignon au bouillon de volaille, pour lui donner une plus grande saveur.

2 Faire sauter la coriandre, le cumin et les gousses d'ail à sec. Ajouter la muscade et le curcuma moulus et cuire un bref moment. Broyer le tout au pilon ou dans un mixer.

3 Mixer très finement l'oignon et le gingembre, ou les hacher et les réduire en purée dans un mortier. Ajouter la préparation aux épices et le bouillon de volaille (ou l'eau) et bien mélanger.

4 Verser la préparation sur le poulet. Couvrir la casserole et laisser cuire à feu doux jusqu'à ce que le poulet soit bien tendre, ce qui prendra 45 à 50 minutes.

5 Servir le poulet en portions, nappé de sa sauce, sur le riz. Garnir de rondelles d'oignon frites bien croustillantes.

Poulet au curcuma

INGRÉDIENTS

Pour 4 personnes

1 poulet de 1,5 kg coupé en 8 morceaux
1 cuil. à soupe de sucre
3 noix de macadam (ou 6 amandes)
2 gousses d'ail écrasées
1 gros oignon coupé en quartiers
2 à 3 cm de *lengkuas* frais, épluché et
   coupé en rondelles (ou 1 cuil. à café
   de poudre de *lengkuas*)
1 ou 2 tiges de citronnelle (la base en
   rondelles et le reste simplement froissé)
1 cm de *terasi* en cube
4 cm de curcuma frais haché (ou 1 cuil. à
   soupe de curcuma en poudre)
1 cuil. à soupe de pulpe de tamarin,
   trempée dans 1/2 verre d'eau chaude
4 à 6 cuil. à soupe d'huile
40 cl de lait de coco
sel et poivre noir fraîchement moulu
garniture : rondelles d'oignon frites
   (voir p. 175)

1 Enduire les morceaux de poulet d'un peu de sucre et réserver.

2 Mixer ensemble les noix (ou les amandes), l'ail, l'oignon, le *lengkuas*, la citronnelle, le *terasi* et le curcuma. On peut également broyer ces ingrédients dans un mortier pour les réduire en purée. Filtrer la pulpe de tamarin et garder le jus.

3 Chauffer l'huile dans un wok et cuire la purée aux noix, sans la faire brunir, jusqu'à ce qu'elle libère un arôme épicé. Ajouter les morceaux de poulet et bien les mélanger aux épices. Arroser du jus filtré du tamarin. Ôter à la cuillère le dépôt de crème sur le lait de coco et le réserver.

4 Verser le lait de coco dans la casserole. Couvrir et laisser cuire 45 minutes, jusqu'à ce que le poulet soit bien tendre.

5 Quelques instants avant de servir, ajouter la crème du lait de coco pendant l'ébullition. Saler, poivrer. Garnir de rondelles d'oignon frites et servir sans attendre.

Poulet sauté aux épices

INGRÉDIENTS

Pour 4 personnes
1 poulet de 1,5 kg découpé
   en 8 morceaux
1 cuil. à café de sel
1 cuil. à café de poivre noir moulu
2 gousses d'ail écrasées
15 cl d'huile de tournesol

La sauce
25 g de beurre
2 cuil. à soupe d'huile de tournesol
1 oignon coupé en rondelles
4 gousses d'ail écrasées
400 g de tomates au piment, en boîte,
   égouttées
60 cl d'eau
3 à 4 cuil. à soupe de sauce de soja brune
sel et poivre noir fraîchement moulu
garniture : piment rouge frais coupé
   en tranches et rondelles d'oignon
   frites (facultatif)
accompagnement : riz blanc

1 Préchauffer le four à 190 °C (thermostat 5). Pratiquer 2 entailles dans chaque morceau de poulet. Bien enduire de sel, de poivre et d'ail. Saisir dans un peu d'huile, puis cuire au four pendant 30 minutes, ou faire revenir le poulet 12 à 15 minutes dans l'huile, jusqu'à ce qu'il soit doré.

2 Pour confectionner la sauce, chauffer le beurre et l'huile dans un wok et y mettre à revenir l'oignon et l'ail. Ajouter les tomates, l'eau, la sauce de soja, le sel et le poivre. Porter à ébullition. Laisser bouillir 5 minutes pour réduire la sauce.

3 Déposer les morceaux de poulet dans la sauce. Les retourner plusieurs fois pour qu'ils soient bien enduits. Laisser cuire doucement pendant 20 minutes, jusqu'à ce qu'ils soient devenus très tendres. Remuer de temps en temps.

4 Disposer les morceaux de poulet sur un plat tenu au chaud et garnir de tranches de piments et, éventuellement, de rondelles d'oignon frites. Servir accompagné de riz.

Poulet sauté à l'ananas

INGRÉDIENTS

Pour 4 à 6 personnes
500 g d'escalopes de poulet, sans la peau,
   coupées en fines tranches triangulaires
2 cuil. à soupe de Maïzena
4 cuil. à soupe d'huile de tournesol
1 gousse d'ail écrasée
5 cm de racine de gingembre fraîche,
   épluchée et coupée en allumettes
1 petit oignon coupé en fines rondelles
1 ananas frais, pelé, découpé en dés,
   ou une boîte de 475 g d'ananas
   en morceaux dans son jus (au naturel
   et sans sucre)
2 cuil. à soupe de sauce de soja brune
   (ou 1 cuil. à soupe de *kecap manis*)
quelques ciboules, le bulbe blanc gardé
   entier et les pointes vertes coupées
   en rondelles
sel et poivre noir fraîchement moulu

1 Bien mélanger le poulet et la Maïzena. Saler et poivrer. Faire revenir les morceaux de poulet dans un wok, avec l'huile, jusqu'à ce qu'ils soient tendres.

2 Retirer du wok ou de la poêle et réserver au chaud. Réchauffer l'huile, puis faire revenir l'ail, le gingembre et l'oignon sans les brunir. Ajouter l'ananas frais avec 1/2 verre d'eau, ou les morceaux d'ananas en boîte avec leur jus.

3 Tout en remuant, ajouter la sauce de soja (ou le *kecap manis*). Remettre le poulet dans le wok pour cuire le tout.

4 Saler et poivrer selon son goût. Ajouter les bulbes de ciboules et la moitié des rondelles de pointes vertes. Bien remuer l'ensemble et disposer le poulet sur un plat. Décorer avec le reste des rondelles de pointes de ciboules et servir.

Poulet braisé au soja

Braisé dans le wok, le poulet s'imprègne de tous les arômes de la sauce piquante au gingembre. Il peut se déguster chaud ou froid.

INGRÉDIENTS

Pour 4 personnes

1 poulet de 1,5 kg environ
1 cuil. à soupe de grains de poivre du Sichuan fraîchement moulus
2 cuil. à soupe de gingembre frais haché
3 cuil. à soupe de sauce de soja claire
2 cuil. à soupe de sauce de soja foncée
3 cuil. à soupe de vin de riz chinois (ou de Xérès sec)
1 cuil. à soupe de sucre roux
huile de friture végétale
60 cl environ de bouillon de volaille (ou d'eau)
2 cuil. à café de sel
25 g de sucre candi
garniture : feuilles de laitue

1 Enduire l'extérieur et l'intérieur du poulet avec le poivre moulu et le gingembre frais. Le laisser mariner pendant au moins 3 heures dans le mélange de sauces de soja, de vin chinois (ou de Xérès) et de sucre. Le retourner de temps à autre.

--- SUGGESTION DU CHEF ---

Le restant de sauce se conservera facilement au réfrigérateur, à condition d'être couvert. Vous pourrez le réutiliser très souvent sans problème.

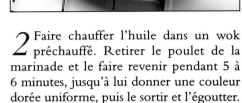

2 Faire chauffer l'huile dans un wok préchauffé. Retirer le poulet de la marinade et le faire revenir pendant 5 à 6 minutes, jusqu'à lui donner une couleur dorée uniforme, puis le sortir et l'égoutter.

3 Jeter le surplus d'huile. Arroser de la marinade et du bouillon de volaille (ou d'eau). Ajouter le sel et le sucre candi, et porter à ébullition. Couvrir et braiser le poulet dans la sauce pendant 35 à 40 minutes, en le retournant.

4 Retirer le poulet du wok et le laisser refroidir un peu, avant de le découper en une trentaine de bouchées environ. Les disposer sur un lit de laitue et arroser d'un peu de sauce avant de servir.

Poulet aux épices et à la sauce de soja

Ce plat très simple, appelé *ayam kecap,* se trouve souvent à la carte des restaurants de Padang. Même réchauffé le lendemain, il ne perd rien de sa saveur.

INGRÉDIENTS

Pour 4 personnes

1 poulet de 1,5 kg découpé en
   16 morceaux (aux articulations)
3 oignons coupés en rondelles
1 l d'eau environ
3 gousses d'ail écrasées
3 ou 4 piments rouges frais hachés (ou
   1 cuil. à soupe de poudre de piment)
3 à 4 cuil. à soupe d'huile
1/2 cuil. à café de noix de muscade
   moulue
6 clous de girofle
1 cuil. à café de pulpe de tamarin,
   trempée dans 3 cuil. à soupe
   d'eau chaude
2 à 3 cuil. à soupe de sauce de soja
   claire ou foncée
sel
garniture : lanières de piments rouges
accompagnement : riz

1 Disposer les morceaux de poulet dans une grande poêle assez profonde et ajouter 1 oignon. Recouvrir d'eau. Porter à ébullition, puis réduire le feu et laisser mijoter doucement pendant 20 minutes.

2 Broyer le reste des oignons, l'ail et les piments, dans un mixer ou à l'aide d'un pilon et d'un mortier, jusqu'à obtention d'une fine purée. Faire chauffer un peu d'huile dans un wok ou une poêle et mettre à revenir cette purée, sans la laisser brunir, pour en libérer les arômes.

3 Laisser cuire le poulet 20 minutes, puis le sortir du bouillon à l'aide d'une grande écumoire pour le disposer dans le mélange d'épices. Remuer tous les morceaux en faisant cuire à feu doux, afin de bien imprégner le poulet des différentes épices. Réserver environ 30 cl du bouillon.

4 Tout en remuant, ajouter la muscade et les clous de girofle. Filtrer le tamarin et verser son jus sur le poulet, ainsi que la sauce de soja. Laisser cuire encore 2 à 3 minutes, puis ajouter le bouillon réservé.

5 Saler et poivrer selon son goût, puis laisser cuire 25 à 35 minutes de plus, à découvert, jusqu'à ce que les morceaux de poulet soient devenus bien tendres.

6 Servir le poulet dans un grand saladier, garni de lanières de piments et accompagné de riz.

> ——— REMARQUE PRATIQUE ———
>
> La sauce de soja brune (épaisse) est plus salée que la sauce claire (légère). La première donne au poulet une saveur plus prononcée.

Curry de poulet thaïlandais

Le poulet et les pommes de terre sont mijotés dans un wok rempli de lait de coco, ingrédient indispensable de la cuisine thaïlandaise. Il en résulte un curry à la saveur extraordinaire.

INGRÉDIENTS

Pour 4 personnes

1 oignon
1 cuil. à soupe d'huile d'arachide
40 cl de lait de coco
2 cuil. à soupe de pâte de curry rouge
2 cuil. à soupe de sauce de poisson
   thaïlandaise (nam pla)
1 cuil. à soupe de sucre roux
250 g de petites pommes de terre
   nouvelles
450 g d'escalopes de poulet en morceaux
1 cuil. à soupe de jus de citron vert
2 cuil. à soupe de menthe fraîche hachée
1 cuil. à soupe de basilic frais haché
sel et poivre noir moulu
garniture : 2 feuilles de lime de Cafre
   et 1 ou 2 piments rouges en lanières

1 À l'aide d'un couteau bien aiguisé, découper les oignons en tranches.

SUGGESTION DU CHEF

On peut remplacer les escalopes de poulet par des cuisses désossées. Il suffit d'en ôter la peau et de découper la chair en morceaux, avant de les ajouter aux pommes de terre.

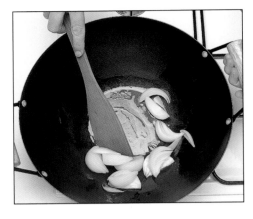

2 Faire chauffer un wok, puis y verser l'huile en l'étalant bien au fond. Mettre à revenir les oignons 3 à 4 minutes.

3 Verser le lait de coco et porter à ébullition. Tout en remuant, incorporer la pâte de curry, la sauce de poisson et le sucre.

4 Ajouter les pommes de terre, le sel et le poivre. Couvrir et laisser mijoter à feu doux pendant 20 minutes.

5 Ajouter les morceaux de poulet et laisser cuire 10 à 15 minutes de plus, à couvert et à feu doux, jusqu'à ce que poulet et pommes de terre soient tendres.

6 En fin de cuisson, tout en remuant, ajouter le jus de citron vert, la menthe et le basilic. Servir immédiatement, garni de lanières de feuilles de lime et de piments.

Balti de poulet Khara Masala

Les saveurs généreuses de ce plat proviennent des épices entières *(khara)* employées pour le réaliser. On le sert accompagné de raïta.

INGRÉDIENTS

Pour 4 personnes

3 feuilles de curry
1 pincée de graines de moutarde
1 pincée de graines de fenouil
1 pincée de graines d'oignon
1/2 cuil. à café de piments rouges séchés et écrasés
1/2 cuil. à café de graines de cumin blanc
1 pincée de graines de fenugrec
1/2 cuil. à café de pépins de grenade écrasés
1 cuil. à café de sel
1 cuil. à café de gingembre en lanières
3 gousses d'ail coupées en rondelles
4 cuil. à soupe d'huile de maïs
4 piments verts frais fendus
1 gros oignon coupé en rondelles
1 tomate moyenne coupée en morceaux
700 g de blancs de poulet, sans la peau, coupés en dés
garniture : 1 cuil. à soupe de coriandre fraîche hachée
accompagnement : paratha

1 Dans un grand saladier, mélanger ensemble feuilles de curry, graines de moutarde, graines de fenouil, graines d'oignon, piments rouges écrasés, graines de cumin, graines de fenugrec et pépins de grenade écrasés. Saler.

2 Ajouter les lanières de gingembre et les rondelles d'ail.

3 Faire chauffer l'huile dans un wok préchauffé. Verser dedans le mélange d'épices, puis les piments verts.

4 Incorporer l'oignon et faire revenir le tout à feu moyen, pendant 5 à 7 minutes.

5 Ajouter la tomate et les dés de poulet. Laisser cuire à feu moyen pendant 7 minutes environ, jusqu'à ce que le poulet soit bien cuit et que la sauce ait légèrement réduit.

6 Remuer le mélange en poursuivant la cuisson 3 à 5 minutes. Décorer ensuite avec la coriandre fraîche hachée et servir accompagné de paratha.

Marmite de poulet

Cette recette est un repas complet qui associe viande et haricots dans une sauce épicée.

INGRÉDIENTS

Pour 4 à 6 personnes

175 g de haricots secs
3 cuisses de poulet
1 cuil. à soupe d'huile végétale
350 g de porc maigre découpé en dés
1 chorizo (facultatif)
1 petite carotte épluchée et hachée
1 oignon grossièrement haché
1,75 l d'eau
1 gousse d'ail écrasée
2 cuil. à soupe de purée de tomates
1 feuille de laurier
2 cubes de bouillon de volaille
350 g de patates douces (ou de pommes
    de terre nouvelles) épluchées
    et coupées en dés
2 cuil. à café de sauce piquante
2 cuil. à soupe de vinaigre de vin blanc
3 tomates fermes pelées, évidées
    et coupées en morceaux
230 g de chou chinois coupé en lanières
sel et poivre noir moulu
garniture : 3 ciboules coupées en lanières
accompagnement : riz

1 Verser les haricots secs dans un petit saladier et les recouvrir d'eau froide. Laisser tremper pendant 8 heures, de préférence toute 1 nuit.

2 Séparer les pilons des cuisses de poulet. Retirer le bout étroit de chaque pilon et le jeter.

3 Dans un wok préchauffé avec l'huile, dorer le poulet, le porc, le chorizo coupé en rondelles (facultatif), la carotte et l'oignon, de façon homogène.

4 Egoutter les haricots secs et les ajouter au wok avec de l'eau fraîche. Ajouter l'ail, la purée de tomates et la feuille de laurier. Bien mélanger. Porter à ébullition, puis réduire le feu et laisser mijoter pendant 2 heures.

5 Émietter les cubes de bouillon de volaille dans le wok, puis ajouter les pommes de terre et la sauce piquante. Laisser mijoter pendant 15 à 20 minutes jusqu'à cuisson complète des pommes de terre.

6 Ajouter le vinaigre, les tomates et le chou chinois, puis laisser mijoter encore 1 ou 2 minutes. Saler et poivrer selon son goût. Décorer avec les ciboules et servir accompagné de riz.

SUGGESTION DU CHEF

Ce plat est conçu comme un pot-au-feu classique, dont l'abondance de jus permet d'en servir la majeure partie en potage à l'entrée. Dans ce cas, on le fera suivre du plat principal – viande et légumes – servi avec le riz.

Balti de coquelets à la sauce au tamarin

Le tamarin confère à ce balti très relevé une saveur aigre-douce.

INGRÉDIENTS

Pour 4 à 6 personnes

4 cuil. à soupe de ketchup
1 cuil. à soupe de pâte de tamarin
4 cuil. à soupe d'eau
1/2 cuil. à soupe de poudre de piment
1/2 cuil. à soupe de sel
1 cuil. à soupe de sucre
1/2 cuil. à soupe de pulpe de gingembre
1/2 cuil. à soupe d'ail réduit en purée
2 cuil. à soupe de noix de coco séchée
   en poudre
2 cuil. à soupe de graines de sésame
1 cuil. à café de graines de pavot
1 cuil. à café de cumin moulu
1/2 cuil. à soupe de coriandre moulue
2 coquelets de 450 g chacun, sans
   la peau, découpés en 6 à 8 morceaux
5 cuil. à soupe d'huile de maïs
8 cuil. à soupe de feuilles de curry
1/2 cuil. à café de graines d'oignon
3 gros piments rouges séchés
1/2 cuil. à café de graines de fenugrec
10 à 12 tomates cerise
3 cuil. à soupe de coriandre hachée
2 piments verts frais hachés

2 Ajouter la poudre de piment, le sel, le sucre, le gingembre, l'ail, la noix de coco, les graines de pavot et de sésame, le cumin moulu et la coriandre moulue.

3 Déposer les morceaux de coquelet dans le mélange et bien remuer pour qu'ils soient totalement imprégnés. Réserver.

4 Faire chauffer l'huile dans un wok préchauffé. Mettre à revenir les feuilles de curry, les graines d'oignon, les piments rouges séchés et les graines de fenugrec, pendant 1 minute, en remuant.

5 Réduire le feu, puis verser dans le wok les morceaux de coquelet – 2 ou 3 à la fois – et la sauce. Lorsque tous les morceaux sont dans le wok, remuer pour bien mélanger l'ensemble.

6 Laisser mijoter à feu moyen pendant 12 à 15 minutes, jusqu'à cuisson complète du coquelet.

7 Incorporer les tomates cerise, la coriandre fraîche et les piments verts. Servir immédiatement.

1 Dans un grand saladier, verser le ketchup, la pâte de tamarin et l'eau, et mélanger le tout à l'aide d'une fourchette.

Canard épicé à la balinaise

Nous nous sommes laissé dire
que le meilleur canard épicé
se déguste dans un petit
restaurant sur la plage de Sanur…

INGRÉDIENTS

Pour 4 personnes

8 portions de canard, dont le gras
  a été retiré et réservé
50 g de noix de coco râpée
18 cl de lait de coco
sel et poivre noir fraîchement moulu
garniture : rondelles d'oignon frites *(voir
  p. 175)* et salade ou herbes aromatiques

La pâte d'épices

1 petit oignon (ou 4 à 6 échalotes)
  coupé(es) en morceaux
2 gousses d'ail coupées en rondelles
1 racine de gingembre de 2 à 3 cm
  de long, épluchée et hachée
1,5 cm de *lengkuas* frais, épluché et haché
2 à 3 cm de curcuma frais (ou 1/2 cuil. à
  café de curcuma moulu)
1 ou 2 piments rouges en morceaux
4 noix de macadam (ou 8 amandes)
1 cuil. à café de graines de coriandre
  grillées à sec

1 Dans une poêle préchauffée, faire
cuire les morceaux de gras du canard
sans huile. Laisser fondre et réserver.

2 Dans une autre poêle chaude, faire
sauter la noix de coco sans matière
grasse, afin qu'elle soit dorée et croustillante.

3 Pour confectionner la pâte d'épices,
broyer ensemble l'oignon (ou les
échalotes) avec l'ail, le gingembre, le *lengkuas,* le curcuma frais (ou moulu), les
piments, les noix (ou les amandes) et les
graines de coriandre. Utiliser de préférence un mixer.

4 Étaler la pâte d'épices obtenue sur les
portions de canard et laisser mariner
au frais pendant 3 à 4 heures. Préchauffer
le four à 160 °C (thermostat 3). Frotter le
surplus de pâte d'épices et le réserver,
avant de disposer les morceaux de canard
sur un plat à rôtir huilé. Recouvrir de
papier d'aluminium et cuire au four pendant 2 heures.

5 Sortir le canard et amener la température du four à 190 °C (thermostat 5).
Réchauffer le gras du canard dans une poêle
et ajouter la pâte d'épices réservée. Faire
revenir 1 à 2 minutes. Tout en remuant,
ajouter le lait de coco et laisser mijoter
2 minutes. Arroser du jus de cuisson du
canard et couvrir du mélange d'épices.
Saupoudrer de noix de coco grillée. Cuire
au four pendant 20 à 30 minutes.

6 Disposer les morceaux de canard
sur un plat chaud. Saler et poivrer.
Garnir de rondelles d'oignon frites et de
salade ou de quelques branches d'herbes
aromatiques.

Canard aux champignons et au gingembre

L'importante population chinoise d'Indonésie est très friande de viande de canard. Les succulents ingrédients de cette recette lui apportent une vraie saveur orientale.

INGRÉDIENTS

Pour 4 personnes

1 canard de 2,5 kg environ
1 cuil. à café de sucre
3 cuil. à soupe de sauce de soja claire
2 gousses d'ail écrasées
8 champignons chinois séchés
    et trempés dans 40 cl d'eau chaude
    pendant 15 minutes
1 oignon coupé en rondelles
1 racine de gingembre frais de 5 cm
    de long, découpée en allumettes
200 g de mini-épis de maïs doux
1/2 botte de ciboules, les bulbes blancs
    gardés entiers et les pointes vertes
    coupées en rondelles
1 à 2 cuil. à soupe de Maïzena,
    mélangée à 4 cuil. à soupe d'eau
    pour obtenir une pâte
sel et poivre noir fraîchement moulu
accompagnement : riz

4 Verser sur les morceaux de canard 60 cl du bouillon réservé ou, à défaut, 60 cl d'eau. Saler, poivrer et couvrir. Laisser cuire à feu doux 1 heure environ.

2 Égoutter les champignons et réserver le liquide obtenu. Couper et jeter les pieds.

1 Découper le canard dans le sens de la longueur, l'ouvrir et le trancher de chaque côté de l'épine dorsale. Préparer un bouillon avec la colonne vertébrale, les ailes et les abattis. Le réserver. Le surplus de gras sera mis à fondre dans une poêle et gardé en réserve. Couper en deux la chair et les ailes et placer ces morceaux dans un saladier. Enduire de sucre, de sauce de soja et d'ail.

3 Dans une poêle, faire revenir l'oignon et le gingembre, avec la graisse du canard. Retirer les morceaux de canard de la marinade et les faire dorer dans la graisse. Ajouter les champignons et le liquide réservé.

5 Ajouter les épis de maïs et la partie blanche des ciboules. Laisser cuire 10 minutes supplémentaires. Retirer du feu et incorporer la pâte de Maïzena. Remettre sur le feu et porter à ébullition en remuant. Laisser cuire 1 minute, jusqu'à obtenir un aspect laqué. Décorer de pointes de ciboules et servir avec du riz.

VARIANTE

Remplacer le maïs par du céleri haché et des rondelles de châtaignes d'eau en boîte.

Canard à l'aigre-douce aux mangues

Ce plat sauté, très coloré, est adouci par la mangue. Des nouilles frites bien croustillantes le complètent parfaitement.

INGRÉDIENTS

Pour 4 personnes

250 à 350 g de magrets de canard
3 cuil. à soupe de sauce de soja épaisse
1 cuil. à soupe de vin de riz chinois
    (ou de Xérès sec)
1 cuil. à café d'huile de sésame
1 cuil. à café de poudre cinq-épices
    chinoise
1 cuil. à soupe de sucre roux
2 cuil. à café de Maïzena
3 cuil. à soupe de vinaigre de riz chinois
1 cuil. à soupe de ketchup
1 mangue pas trop mûre
3 mini-aubergines
1 oignon rouge
1 carotte
4 cuil. à soupe d'huile d'arachide
1 gousse d'ail coupée en rondelles
1 racine de gingembre fraîche de 2 à
    3 cm de long, coupée en lanières
75 g de pois gourmands doux

1 Couper les magrets en fines tranches dans un saladier. Dans un bol, mélanger 1 cuillerée à soupe de sauce de soja avec le vin de riz (ou le Xérès), l'huile de sésame et la poudre cinq-épices. Verser le mélange sur le canard. Couvrir et laisser mariner 1 à 2 heures. Dans un autre bol, mélanger le sucre, la Maïzena, le vinaigre de riz et le ketchup avec le reste de sauce de soja. Réserver.

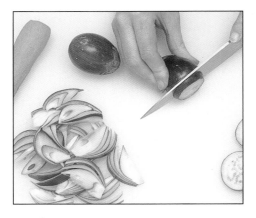

2 Éplucher la mangue et détailler sa chair en lamelles. Découper ensuite les aubergines, l'oignon et la carotte en fines tranches.

3 Faire chauffer un wok et y verser 2 cuillerées à soupe d'huile. Bien l'étaler. Égoutter le canard et réserver la marinade. Faire sauter les morceaux de canard à grand feu, jusqu'à ce que leur gras devienne doré et croustillant. Retirer du feu et garder au chaud. Ajouter 1 cuillerée à soupe d'huile dans le wok et faire dorer les aubergines pendant 3 minutes.

4 Dans l'huile restante, mettre à revenir l'oignon, l'ail, la carotte et le gingembre 2 à 3 minutes. Ajouter les pois gourmands et laisser cuire encore 2 minutes.

5 Incorporer la mangue, puis le canard, la sauce et la marinade. Laisser cuire, tout en remuant, jusqu'à ce que la sauce épaississe. Servir rapidement.

SUGGESTION DU CHEF

Si vous ne trouvez pas de mini-aubergines, employez les plus petites aubergines possibles. Après les avoir coupées en rondelles et saupoudrées de sel, laissez-les dégorger dans une passoire, pour que leur jus acide s'en échappe. Rincez-les abondamment et séchez-les bien avant cuisson.

Dinde sautée aux brocolis et aux champignons

Une recette facile et idéale pour un dîner. Vous pouvez très bien remplacer la dinde par du poulet.

INGRÉDIENTS

Pour 4 personnes

120 g de bouquets de brocolis
4 ciboules
1 cuil. à café de Maïzena
3 cuil. à soupe de sauce d'huître
1 cuil. à soupe de sauce de soja épaisse
12 cl de bouillon de volaille
2 cuil. à café de jus de citron
3 cuil. à soupe d'huile d'arachide
450 g d'escalopes de dinde découpées
  en lamelles de 5 cm environ
1 petit oignon haché
2 gousses d'ail écrasées
2 cuil. à café de racine de gingembre râpée
120 g de champignons exotiques frais
  (shiitake, par exemple), en tranches
75 g de mini-épis de maïs doux,
  coupés en deux dans la longueur
1 cuil. à soupe d'huile de sésame
sel et poivre noir moulu
accompagnement : nouilles chinoises
  aux œufs

1 Diviser les bouquets de brocolis en petits rameaux et couper les pieds en fines rondelles.

2 Hacher les bulbes blancs des ciboules et couper la partie verte en fines lanières.

3 Mélanger la Maïzena, la sauce de soja, la sauce d'huître, le jus de citron et le bouillon de volaille. Réserver.

4 Dans un wok préchauffé avec 2 cuillerées à soupe d'huile d'arachide, mettre à revenir la dinde 2 minutes, jusqu'à la rendre dorée et légèrement croustillante. Retirer du wok et réserver au chaud.

5 Verser le reste d'huile d'arachide dans le wok, et faire revenir l'oignon, l'ail et le gingembre à feu moyen, pendant 1 minute environ. Augmenter le feu avant d'ajouter les brocolis, les champignons et le maïs doux. Laisser cuire 2 minutes.

6 Remettre les morceaux de dinde dans le wok, puis ajouter la sauce, les oignons hachés, le sel et le poivre. Laisser cuire pendant 1 minute en remuant, pour que la sauce épaississe. Sans cesser de remuer, arroser d'huile de sésame. Couvrir des lanières de ciboules et servir rapidement sur un lit de nouilles chinoises aux œufs.

> ─── SUGGESTION DU CHEF ───
>
> Les nouilles chinoises aux œufs se cuisent comme les nouilles occidentales : dans l'eau salée bouillante, en remuant afin qu'elles ne collent pas. Pour les nouilles séchées, se reporter aux indications sur le sachet.

LES LÉGUMES

*La cuisson rapide dans un wok
convient parfaitement aux légumes
car elle préserve leur texture, leur couleur
et leurs principaux nutriments.
Vous trouverez ici un assortiment
de recettes particulièrement savoureuses.
Il comprend, hormis une série
d'accompagnements traditionnels
des plats principaux, à base de pommes
de terre, de brocolis et d'oignons,
des plats de légumes originaux et plus
élaborés, conçus à partir d'ingrédients
ou de sauces exotiques. Ces mets
se dégustent aussi bien avec des plats
asiatiques qu'avec des grillades et rôtis
occidentaux. Leur préparation et leur
cuisson sont une source de découvertes
toujours renouvelée.*

Chou chinois sauté aux champignons

Il est possible, pour cette recette, de remplacer les champignons de paille par des champignons de Paris.

INGRÉDIENTS

Pour 4 personnes

230 g de champignons de paille frais
ou en conserve (ou des champignons
de Paris)
4 cuil. à soupe d'huile végétale
400 g de chou chinois
coupé en bandelettes
1 cuil. à café de sel
1 cuil. à café de sucre roux
1 cuil. à soupe de pâte de Maïzena
(voir p. 30)
12 cl de lait

1 Couper les champignons en deux dans le sens de la longueur. Chauffer la moitié de l'huile et faire sauter le chou chinois pendant 2 minutes. Ajouter ensuite la moitié du sel et du sucre, et laisser revenir 1 minute supplémentaire.

2 Disposer le chou sur un plat tenu au chaud. Mettre à sauter les champignons dans le wok, pendant 1 minute. Ajouter le restant d'huile, de sel et de sucre et faire revenir encore 1 minute. Épaissir enfin, en ajoutant la pâte de Maïzena et le lait. Servir les champignons avec le chou.

REMARQUE PRATIQUE

La manière dont les Chinois envisagent la cuisine est un reflet de leur ancienne philosophie, caractérisée par la recherche d'harmonie et d'équilibre en toute chose. C'est pourquoi les recettes de légumes sautés, loin d'être une combinaison arbitraire d'ingrédients, résultent au contraire d'une complémentarité de couleurs et de textures : ainsi, la consistance délicieusement glissante des champignons de paille complète parfaitement la texture croquante du chou chinois. (Ne pas trop cuire les champignons si vous les achetez en conserve, afin de respecter cet équilibre.)

Germes de soja sautés

Voici une manière simple de cuire les germes de soja dans un wok. Il n'est pas nécessaire de les équeuter ; il suffit de les tremper dans de l'eau froide et de retirer les résidus qui flottent à la surface.

INGRÉDIENTS

Pour 4 personnes
2 ou 3 ciboules
230 g de germes de soja frais
3 cuil. à soupe d'huile végétale
1 cuil. à café de sel
1/2 cuil. à café de sucre roux
un peu d'huile de sésame (facultatif)

1 Découper les ciboules en petits morceaux de la même longueur que les germes de soja.

2 Mettre l'huile à chauffer dans un wok et faire revenir les germes de soja et les ciboules pendant 1 minute environ. Ajouter le sel et le sucre, puis laisser cuire 1 minute supplémentaire, tout en remuant. Asperger éventuellement de quelques gouttes d'huile de sésame et servir.

—————— SUGGESTION DU CHEF ——————

On trouve facilement dans le commerce des germes de soja frais ou en conserve. Il est facile d'en faire pousser chez soi : dans une assiette, éparpillez des graines de soja sur plusieurs couches de papier absorbant humidifié. Gardez-les humides dans un endroit chaud. Les germes apparaîtront quelques jours plus tard.

Légumes chinois braisés

La recette originale comptait 18 ingrédients différents, qui représentaient les 18 bouddhas *(Lo Han)*. Ce nombre fut ensuite réduit à 8, mais on considère aujourd'hui que 4 à 6 ingrédients sont tout à fait suffisants.

INGRÉDIENTS

Pour 4 personnes

10 g de champignons parfumés séchés
75 g de champignons de paille
75 g de pousses de bambou
  coupées en rondelles et égouttées
50 g de haricots mange-tout
1 paquet de tofu
175 g de chou chinois
3 à 4 cuil. à soupe d'huile végétale
1 cuil. à café de sel
1/2 cuil. à café de sucre roux
1 cuil. à soupe de sauce de soja claire
quelques gouttes d'huile de sésame

1 Tremper les champignons séchés dans de l'eau froide pendant 20 à 25 minutes. Les rincer ensuite en jetant les morceaux trop durs, si nécessaire. Couper les champignons de paille en deux dans le sens de la longueur, s'ils sont grands ; sinon, les laisser entiers. Rincer et égoutter les rondelles de pousses de bambou. Équeuter les haricots. Découper le tofu en 12 petits morceaux. Couper le chou en morceaux de la même taille que les haricots.

2 Faire durcir les morceaux de tofu en les trempant dans un wok d'eau bouillante pendant 2 minutes. Les retirer et les égoutter.

3 Jeter l'eau et chauffer l'huile dans le wok ou dans une poêle. Dorer légèrement le tofu de chaque côté et le retirer avec une écumoire. Réserver au chaud.

4 Mettre à sauter tous les légumes dans le wok ou la poêle 1 à 2 minutes, puis ajouter le tofu, le sel, le sucre et la sauce de soja. Laisser cuire 1 minute en remuant, puis couvrir et braiser 2 à 3 minutes. Asperger d'huile de sésame et servir.

Aubergines à la sauce piquante

Les aubergines de cette recette sont préparées en sauté et assaisonnées de la même manière qu'un plat de poisson.

INGRÉDIENTS

Pour 4 personnes

450 g d'aubergines
3 ou 4 piments rouges séchés entiers et trempés dans de l'eau pendant 10 minutes
huile de friture végétale
1 gousse d'ail finement hachée
1 cuil. à café de gingembre frais finement haché
1 cuil. à café de blancs de ciboules finement hachés
120 g de viande de porc maigre coupée en fines lamelles (facultatif)
1 cuil. à soupe de sauce de soja claire
1 cuil. à soupe de sucre roux
1 cuil. à soupe de sauce de piment
1 cuil. à soupe de vin de riz chinois (ou de Xérès)
1 cuil. à soupe de vinaigre de riz
2 cuil. à café de pâte de Maïzena (*voir p. 30*)
garniture : 1 cuil. à café de pointes de ciboules finement hachées, un peu d'huile de sésame

1 Selon son goût, on épluchera ou non les aubergines. Les découper en bâtonnets de la taille de pommes frites. Couper les piments rouges non égouttés en 2 ou 3 morceaux et les épépiner.

2 Chauffer l'huile dans un wok préchauffé et faire frire les bâtonnets d'aubergines pendant 3 à 4 minutes, jusqu'à ce qu'ils ramollissent.

3 Jeter le surplus d'huile, pour n'en laisser que l'équivalent de 1 cuillerée à soupe dans le wok. Verser l'ail, le gingembre, les blancs de ciboules et les piments. Remuer quelques instants puis ajouter le porc (facultatif). Dans ce cas, faire revenir la viande 1 minute, jusqu'à ce qu'elle devienne presque blanche. Ajouter les sauces de soja et de piment, le sucre et le vinaigre, puis augmenter le feu et porter à ébullition.

4 Incorporer les aubergines et bien mélanger. Braiser le tout pendant 30 à 40 secondes, puis épaissir avec la pâte de Maïzena, en remuant pour lisser la préparation. Décorer avec des pointes de ciboules et asperger d'huile de sésame.

SUGGESTION DU CHEF

En trempant les piments séchés dans l'eau, on atténue leur goût piquant. Il suffit de les laisser tremper plus longtemps pour obtenir une saveur plus douce.

Tofu épicé à la sichuanaise

Il est possible de se passer de viande pour réaliser cette recette très populaire et en faire un plat végétarien.

INGRÉDIENTS

Pour 4 personnes

3 paquets de tofu
1 poireau
3 cuil. à soupe d'huile végétale
120 g de bœuf haché
1 cuil. à soupe de sauce de haricots noirs
1 cuil. à soupe de sauce de soja claire
1 cuil. à café de sauce piquante
1 cuil. à soupe de vin de riz chinois
  (ou de Xérès)
3 à 4 cuil. à soupe de bouillon (ou d'eau)
2 cuil. à café de pâte de Maïzena
  (voir p. 30)
grains de poivre du Sichuan
quelques gouttes d'huile de sésame

1 Découper le tofu en dés de 1 cm de côté. Remplir un wok d'eau et la faire bouillir. Y mettre les dés de tofu et porter de nouveau à ébullition. Laisser cuire 2 à 3 minutes, jusqu'à ce que le tofu durcisse. Le retirer de l'eau et l'égoutter. Découper le poireau en petits morceaux.

2 Vider le wok. Verser dedans l'huile chauffée au préalable. Faire revenir la viande de bœuf jusqu'à ce qu'elle change de couleur. Ajouter le poireau et la sauce de haricots noirs, puis le tofu avec la sauce de soja, la sauce piquante et le vin. Remuer délicatement pendant 1 minute.

3 Verser le bouillon (ou l'eau). Porter à ébullition, puis braiser 2 à 3 minutes.

4 Incorporer la pâte de Maïzena et laisser cuire, tout en remuant, jusqu'à ce que le bouillon épaississe. Saupoudrer de poivre du Sichuan. Arroser de quelques gouttes d'huile de sésame et servir rapidement.

Lanières de chou karahi au cumin

Cette préparation de chou
est peu épicée et convient très
bien en accompagnement de
la plupart des recettes de baltis.

INGRÉDIENTS

Pour 4 personnes
1 cuil. à soupe d'huile de maïs
50 g de beurre
1/2 cuil. à café de graines de coriandre
   pilées
1/2 cuil. à café de graines de cumin blanc
6 piments rouges séchés
1 petit chou frisé coupé en lanières
12 haricots mange-tout (ou 12 cocos plats)
3 piments rouges coupés en rondelles
12 mini-épis de maïs doux
sel
garniture : 25 g d'amandes effilées
   et grillées et 1 cuil. à soupe
   de coriandre fraîche hachée

1 Faire chauffer l'huile et le beurre dans
un wok préchauffé. Lorsque le beurre
a fondu, ajouter les graines de coriandre
pilées, les graines de cumin et les piments
rouges séchés.

2 Mettre à revenir le chou et les haricots mange-tout (ou les cocos) dans le
wok, pendant 5 minutes.

3 Ajouter les rondelles de piments rouges, les mini-épis de maïs et le sel.
Faire revenir le tout encore 3 minutes.

4 Saupoudrer le chou d'amandes grillées
et de coriandre fraîche. Servir chaud.

REMARQUE PRATIQUE

Le Pakistan, d'où proviennent les recettes de
baltis, est par tradition un pays d'amateurs
de viande. Pour cette raison, les légumes s'y
présentent le plus souvent en accompagnement, à l'occidentale, et non comme des
plats à part entière. C'est pourquoi cette
délicieuse préparation de chou se marie
aussi bien avec une viande grillée ou rôtie
occidentale qu'avec un sauté ou un curry
asiatiques.

Balti de pommes de terre épicées

Les pommes de terre sont souvent intégrées au balti. Le riz vient compléter un repas où les pommes de terre ne sont pas un aliment de base, mais font jeu égal avec les autres légumes.

INGRÉDIENTS

Pour 4 personnes

3 cuil. à soupe d'huile de maïs
1/2 cuil. à café de graines de cumin blanc
3 feuilles de curry
1 cuil. à café de piments rouges séchés, écrasés
1/2 cuil. à café de mélange de graines d'oignon, de moutarde et de fenugrec
1/2 cuil. à café de graines de fenouil
3 gousses d'ail coupées en fines rondelles
1/2 cuil. à café de gingembre frais haché
2 oignons moyens coupés en rondelles
6 pommes de terre nouvelles coupées en rondelles de 5 mm d'épaisseur
1 cuil. à soupe de coriandre hachée
1 piment rouge frais coupé en rondelles
1 piment vert frais coupé en rondelles

1 Faire chauffer l'huile dans un wok préchauffé. Lorsqu'elle est suffisamment chaude, réduire le feu et verser dans le wok les graines de cumin, les feuilles de curry, les piments rouges séchés, les graines d'oignon, de moutarde et de fenugrec, les graines de fenouil, l'ail et le gingembre. Faire sauter le tout pendant 1 minute, puis ajouter les oignons et laisser revenir encore 5 minutes, jusqu'à ce qu'ils soient bien dorés.

2 Incorporer les rondelles de pommes de terre, la coriandre et les piments. Bien mélanger. Couvrir le wok (à l'aide d'un couvercle ou de papier d'aluminium, à condition qu'il ne touche pas les aliments). Cuire à feu très doux pendant 7 minutes environ, jusqu'à ce que les pommes de terre soient tendres.

3 Ôter le couvercle ou le papier d'aluminium et servir directement dans le wok, selon l'usage traditionnel.

Okra à la mangue verte et aux lentilles

Les amateurs d'okra se délecteront de cette recette piquante.

INGRÉDIENTS

Pour 4 personnes

120 g de lentilles jaunes
3 cuil. à soupe d'huile de maïs
1/2 cuil. à café de graines d'oignon
2 oignons moyens coupés en rondelles
1/2 cuil. à café de fenugrec moulu
1 cuil. à café de pulpe de gingembre
1 cuil. à café de pulpe d'ail
1/2 cuil. à soupe de poudre de piment
1 pincée de curcuma moulu
1 cuil. à café de coriandre moulue
1 mangue verte épluchée et dénoyautée
450 g d'okra haché
2 piments rouges frais coupés en rondelles
2 cuil. à soupe de coriandre hachée
1 tomate coupée en rondelles

1 Laver minutieusement les lentilles avant de les verser dans une casserole et de les recouvrir d'eau. Porter à ébullition et cuire jusqu'à ce que les lentilles aient ramolli, en évitant qu'elles se transforment en bouillie. Bien égoutter et réserver.

2 Chauffer l'huile dans un wok préchauffé. Ajouter les graines d'oignon et les faire revenir jusqu'à ce qu'elles commencent à éclater. Mettre à dorer les oignons. Réduire le feu, puis ajouter le fenugrec moulu, le gingembre, l'ail, la poudre de piment, le curcuma moulu et la coriandre moulue.

3 Couper la mangue en tranches, puis l'incorporer à la préparation en même temps que l'okra. Bien remuer avant d'ajouter les piments rouges et la coriandre fraîche. Faire revenir 3 minutes environ, jusqu'à ce que l'okra soit bien cuit. En fin de cuisson, tout en remuant, incorporer les lentilles cuites et les rondelles de tomates. Cuire 3 minutes supplémentaires. Servir rapidement.

Chou croustillant

Voici un accompagnement idéal
pour tous les plats de viande
ou de poisson, auxquels il
ajoutera une texture croquante.
Convient très bien aux mets
à base de crevettes.

INGRÉDIENTS

Pour 4 personnes
4 baies de genièvre
1 gros chou frisé
4 cuil. à soupe d'huile végétale
1 gousse d'ail écrasée
1 cuil. à café de sucre en poudre
1 cuil. à café de sel

1 Piler très finement les baies de genièvre dans un mortier.

2 Couper le chou en très fines lanières.

3 Chauffer l'huile dans un wok pré-chauffé et y faire revenir l'ail pendant 1 minute. Ajouter le chou et le frire 3 à 4 minutes, en remuant, jusqu'à ce qu'il soit croustillant. Le retirer du wok et le sécher sur du papier absorbant.

4 Faire de nouveau chauffer le wok et y remettre le chou. Incorporer le sucre, le sel et les baies de genièvre pilées. Retourner plusieurs fois le chou pour qu'il soit bien imprégné. On peut servir ce plat froid ou chaud selon son goût.

Légumes verts sautés

Les œufs de caille font un bel effet dans ce *chah kang kung*, mais rien n'empêche de les remplacer par de petits épis de maïs doux coupés en deux.

INGRÉDIENTS

Pour 4 personnes

2 bottes d'épinards (ou 1 cœur de chou chinois, ou 450 g de chou frisé)
3 gousses d'ail écrasées
1 racine de gingembre de 5 cm de long, épluchée et coupée en allumettes
3 à 4 cuil. à soupe d'huile d'arachide
120 g d'escalope de poulet (ou de porc, ou un mélange des deux) coupée en tranches très fines
12 œufs de caille durs et épluchés
1 piment rouge frais, épépiné et haché
2 à 3 cuil. à soupe de sauce d'huître
1 cuil. à soupe de sucre roux
2 cuil. à café de Maïzena mélangée à 5 cl d'eau
sel

SUGGESTION DU CHEF

Ne jamais commencer la cuisson d'un plat sauté tant que tous les ingrédients n'ont pas été préparés et placés à portée de main. Ils doivent être coupés en tout petits morceaux de même taille, afin d'assurer une cuisson rapide sans perte de saveur.

1 Trier et bien laver les feuilles d'épinards (ou de chou) avant de les essorer. Dans le cas des épinards, détacher les feuilles de leur tige pour les couper en morceaux. Jeter la partie inférieure des tiges, plus dure, et détailler le reste en petits morceaux.

2 Faire revenir l'ail et le gingembre dans l'huile chaude pendant 1 minute, sans les laisser brunir. Mettre à revenir le poulet et/ou le porc jusqu'à observer un changement de couleur. Ajouter en premier les morceaux de tiges d'épinards, que l'on fera cuire plus longtemps, puis les feuilles (d'épinards ou de chou), les œufs de caille et le piment. Verser la sauce d'huître et éventuellement un peu d'eau bouillante. Couvrir et laisser cuire 1 à 2 minutes maximum.

3 Ôter le couvercle, remuer, puis ajouter le sucre et du sel selon son goût. Tout en remuant, verser dans le wok le mélange de Maïzena et d'eau. Laisser cuire en mélangeant jusqu'à ce que les légumes et la viande soient bien enduits.

4 Servir immédiatement, pendant que le plat est encore très chaud et qu'il brille de toutes ses couleurs.

Épinards d'eau à la sauce de haricots bruns

L'épinard d'eau, connu également sous le nom de «cresson siamois», est un légume vert aux feuilles en pointes de flèches. Il est facile de le remplacer par du cresson de fontaine, de l'épinard ou du brocoli, en adaptant le temps de cuisson. Il existe d'excellentes variantes de cette recette : à la sauce de haricots noirs, à la pâte de crevettes ou au jus de haricots fermentés.

INGRÉDIENTS

Pour 4 à 6 personnes
1 botte d'épinards d'eau d'environ 1 kg
3 cuil. à soupe d'huile végétale
1 cuil. à soupe d'ail haché
1 cuil. à soupe de sauce de haricots bruns
2 cuil. à soupe de sauce de poisson
1 cuil. à soupe de sucre en poudre
poivre noir fraîchement moulu

1 Couper et jeter la partie inférieure, dure, des épinards d'eau. Découper le reste en morceaux de 5 cm de longueur environ, en prenant soin de séparer les tiges des feuilles.

2 Faire chauffer l'huile dans un wok ou une grande poêle. Lorsqu'elle commence à fumer, mettre à revenir l'ail haché pendant 10 secondes.

3 Ajouter les tiges d'épinards d'eau, et les laisser cuire et grésiller pendant 1 minute avant d'ajouter les feuilles.

4 Tout en remuant, verser la sauce de haricots bruns, la sauce de poisson, le sucre et le poivre. Remuer et faire sauter pendant 3 à 4 minutes, jusqu'à ce que les épinards commencent à se faner. Les disposer sur un plat et servir immédiatement.

Légumes au lait de coco

Voici une manière délicieuse de cuire des légumes. Ceux qui n'aiment pas la cuisine trop épicée réduiront le nombre de piments.

INGRÉDIENTS

Pour 4 à 6 personnes
450 g de légumes variés : aubergines, mini-épis de maïs doux, carottes, haricots verts, mini-courgettes, asperges vertes…
8 piments rouges épépinés
2 tiges de citronnelle hachées
4 feuilles de lime de Cafre coupées
2 cuil. à soupe d'huile végétale
25 cl de lait de coco
2 cuil. à soupe de sauce de poisson
sel
garniture : 15 à 20 feuilles de basilic thaïlandais

3 Chauffer l'huile dans un wok. Mettre à revenir la préparation aux piments pendant 2 à 3 minutes. Tout en remuant, verser le lait de coco et porter à ébullition.

1 Détailler les légumes en petits morceaux, comme pour une julienne.

2 Verser les piments rouges, la citronnelle et les feuilles de lime dans un mortier et les piler finement.

4 Ajouter les légumes variés et cuire 5 minutes environ, jusqu'à ce qu'ils deviennent tendres. Asperger de sauce de poisson, saler et garnir de feuilles de basilic.

Aubergines à la sichuanaise

INGRÉDIENTS

Pour 4 personnes

2 petites aubergines
1 cuil. à café de sel
3 piments rouges séchés
huile d'arachide pour friture
3 ou 4 gousses d'ail finement hachées
1 racine de gingembre fraîche
   de 1 cm de long, finement hachée
4 ciboules hachées, parties blanches
   et vertes séparées
1 cuil. à soupe de vin de riz chinois
   (ou de Xérès sec)
1 cuil. à soupe de sauce de soja claire
1 cuil. à café de sucre
1 pincée de grains de poivre du Sichuan
   grillés et moulus
1 cuil. à soupe de vinaigre de riz chinois
1 cuil. à café d'huile de sésame

1 Tailler les aubergines et les découper en lamelles de 4 cm de large sur 7 cm de long environ. Les placer dans une passoire et les saupoudrer de sel. Laisser dégorger 30 minutes avant de les rincer abondamment à l'eau froide. Égoutter et sécher sur du papier absorbant.

2 Faire tremper les piments dans de l'eau chaude pendant 15 minutes. Égoutter et couper chaque piment en 3 ou 4 morceaux. Jeter les pépins.

3 Verser l'huile dans le wok jusqu'à mi-hauteur et la faire chauffer à 180 °C. Frire les aubergines jusqu'à ce qu'elles soient dorées. Égoutter sur du papier absorbant. Jeter la plus grande partie de l'huile et réchauffer le restant avant d'y verser l'ail, le gingembre et le blanc des ciboules.

4 Faire revenir 30 secondes et remettre les aubergines. Bien remuer, ajouter le vin, la sauce de soja, le sucre, les grains de poivre moulus et le vinaigre de riz. Laisser revenir 1 à 2 minutes. Asperger d'huile de sésame et garnir du vert des ciboules.

Chips de légumes au sel pimenté

Tous les légumes à tubercule permettent d'obtenir de délicieuses « chips » lorsqu'ils sont coupés très finement. Ils accompagnent parfaitement un repas oriental ou constituent un en-cas des plus savoureux.

INGRÉDIENTS

Pour 4 à 6 personnes
1 carotte
2 panais
2 betteraves crues
1 patate douce
huile d'arachide pour friture
1 pincée de poudre de piment
1 cuil. à café de gros sel

1 Éplucher la carotte, les panais et la patate. Couper la carotte et les panais en rubans très fins. Trancher ensuite les betteraves et la patate en fines rondelles. Bien sécher sur du papier absorbant.

2 Remplir un wok d'huile jusqu'à mi-hauteur et la chauffer à 180 °C. Faire frire les légumes par petites quantités, jusqu'à ce qu'ils soient bien dorés et croustillants, soit 2 à 3 minutes. Les égoutter sur du papier absorbant.

3 Piler ensemble le gros sel et la poudre de piment dans un mortier, jusqu'à l'obtention d'une poudre grossière.

4 Empiler les chips de légumes sur une grande assiette et saupoudrer de poudre de sel pimenté.

SUGGESTION DU CHEF

Pour gagner du temps, coupez les légumes en rondelles à l'aide d'une mandoline ou d'un mixer.

Chou-fleur braisé aux épices

Le *sambal kol kembang* est l'équivalent d'une marmite de légumes, associant épices et lait de coco. Il convient parfaitement en plat principal, dans un repas végétarien.

INGRÉDIENTS

Pour 4 personnes
1 chou-fleur
1 grosse tomate (ou 2 tomates moyennes)
1 oignon haché
2 gousses d'ail écrasées
1 piment vert frais épépiné
1/2 cuil. à café de curcuma moulu
1,5 cm de *terasi* en cube
2 cuil. à soupe d'huile de tournesol
40 cl de lait de coco
25 cl d'eau
1 cuil. à café de sucre
1 cuil. à café de pulpe de tamarin, trempée dans 3 cuil. à soupe d'eau chaude
sel

1 Couper le pied du chou-fleur et détailler le reste en petits bouquets. Peler éventuellement la (ou les) tomate(s) et couper la chair en petits morceaux.

2 Piler ensemble l'oignon haché, l'ail, le piment vert, le curcuma et le *terasi,* ou broyer le tout au mixer jusqu'à obtention d'une pâte. Faire chauffer l'huile dans un wok ou une grande poêle et mettre à revenir la pâte d'épices pour en libérer tous les arômes. Ne pas la laisser brunir.

3 Ajouter les bouquets de chou-fleur et bien les retourner pour les imprégner d'épices. Tout en remuant, incorporer le lait de coco, l'eau, le sucre et du sel. Laisser mijoter 5 minutes. Filtrer le tamarin et garder le jus.

4 Ajouter le jus de tamarin et les morceaux de tomate. Laisser cuire encore 2 à 3 minutes maximum. Goûter pour vérifier si le plat est bien assaisonné. Servir.

Œufs brouillés aux épices

Voici une manière très agréable d'égayer vos œufs brouillés. Pour bien réussir ce plat d'*orak arik* et afin que les légumes conservent leur croquant, préparez vos ingrédients à l'avance.

INGRÉDIENTS

Pour 4 personnes
2 cuil. à soupe d'huile de tournesol
1 oignon coupé en fines rondelles
230 g de chou chinois coupé en lanières
200 g de maïs doux en boîte
1 petit piment rouge frais épépiné et coupé en fines rondelles (facultatif)
2 cuil. à soupe d'eau
2 œufs battus
sel et poivre noir moulu
garniture : rondelles d'oignon frites *(voir p. 175)*

1 Chauffer l'huile dans un wok préchauffé. Mettre à revenir l'oignon sans le dorer.

2 Ajouter le chou chinois et le faire sauter en mélangeant bien. Verser dessus le maïs doux, le piment et l'eau. Mélanger. Couvrir et laisser cuire 2 minutes.

3 Ôter le couvercle et, tout en remuant, incorporer les œufs battus, du sel et du poivre. Ne pas cesser de remuer jusqu'à ce que les œufs commencent à prendre, tout en restant crémeux. Servir sur des assiettes chaudes, garnies de rondelles d'oignon frites bien croustillantes.

Champignons à la noix de coco piquante

Nous vous proposons ici une manière simple et délicieuse de préparer des champignons. Vous pourrez les servir avec n'importe quel repas oriental, mais également en accompagnement de viandes ou de volailles grillées ou rôties à l'occidentale.

INGRÉDIENTS

Pour 4 personnes

2 cuil. à soupe d'huile d'arachide
2 gousses d'ail finement hachées
2 piments rouges frais, épépinés et coupés en rondelles
3 échalotes finement hachées
230 g de champignons de Paris coupés en grosses tranches
15 cl de lait de coco
2 cuil. à soupe de coriandre hachée
sel et poivre noir moulu

1 Faire chauffer un wok avant d'y verser l'huile, en l'étalant uniformément. Mettre à revenir l'ail et les piments pendant quelques secondes.

— SUGGESTION DU CHEF —

On peut éventuellement remplacer la coriandre fraîche par de la ciboulette coupée très finement.

2 Verser les échalotes et les faire revenir 2 à 3 minutes. Ajouter les champignons et laisser cuire 3 minutes, en remuant.

3 Arroser les champignons du lait de coco et porter à ébullition. Cuire à grand feu jusqu'à ce que le liquide ait réduit de moitié et forme une pellicule sur les champignons. Saler et poivrer.

4 Saupoudrer de coriandre fraîche moulue et faire sauter les champignons à feu doux, pour bien mélanger. Servir sans attendre.

Condiment de légumes

L'utilisation de curcuma frais apporte une note et un aspect inimitables à cette préparation d'*acar campur*. Pratiquement tous les légumes peuvent entrer dans sa composition, caractérisée par l'équilibre des textures, des saveurs et des couleurs.

INGRÉDIENTS

Pour 4 à 6 personnes
Pour 2 à 3 bocaux de 300 g
1 piment rouge frais, épépiné et haché
1 oignon coupé en quartiers
2 gousses d'ail écrasées
1,5 cm de *terasi* en cube
4 noix de macadam (ou 8 amandes)
2 à 3 cm de curcuma frais haché (ou
    1 cuil. à café de curcuma en poudre)
5 cl d'huile de tournesol
45 cl de vinaigre blanc
25 cl d'eau
25 à 50 g de sucre en poudre
3 carottes
230 g de haricots verts
1 petit chou-fleur
1 concombre
230 g de chou blanc
120 g de cacahuètes grillées à sec,
    grossièrement hachées
sel

1 Broyer ensemble le piment, l'oignon, l'ail, le *terasi,* les noix (ou les amandes) et le curcuma dans un mixer ou un mortier pour les réduire en une purée.

2 Chauffer l'huile et mettre à revenir cette purée. Ajouter le vinaigre, l'eau, le sucre et du sel. Porter à ébullition, puis laisser mijoter 10 minutes.

3 Couper les carottes en forme de petites fleurs et les haricots en bâtonnets de même longueur. Séparer le chou-fleur en petits bouquets. Éplucher et vider le concombre, puis le détailler en petits morceaux. Découper le chou blanc en fines bouchées.

4 Blanchir chaque légume séparément dans une grande casserole d'eau bouillante. Les verser ensuite dans une passoire et rincer abondamment à l'eau froide. Bien égoutter.

> **SUGGESTION DU CHEF**
>
> Ce condiment est encore meilleur s'il a été préparé quelques jours à l'avance.

5 Verser tous les légumes dans la sauce. Porter progressivement à ébullition et laisser cuire 5 à 10 minutes. Attention à ne pas trop cuire les légumes, qui doivent rester croquants.

6 Ajouter les cacahuètes et laisser refroidir. Verser dans des bocaux hermétiques.

Légumes sautés à la sauce de haricots noirs

Le secret d'un plat sauté réside dans la préparation préalable de tous les ingrédients. Il est très important de les verser dans le wok dans l'ordre, de sorte que les gros morceaux puissent cuire plus longtemps que les petits : quelques secondes et quelques millimètres font parfois toute la différence !

INGRÉDIENTS

Pour 4 personnes

8 ciboules
230 g de champignons de Paris
1 poivron vert
1 poivron rouge
2 grosses carottes
4 cuil. à soupe d'huile de sésame
2 gousses d'ail écrasées
4 cuil. à soupe de sauce de haricots noirs
10 cl d'eau chaude
230 g de germes de soja
sel et poivre noir moulu

1 Couper les ciboules et les champignons en tranches fines.

2 Couper les poivrons en deux, les vider et les détailler ensuite en julienne.

3 Couper les carottes en deux. Découper ensuite chaque moitié en lamelles. Rassembler les lamelles pour les détailler en allumettes.

4 Chauffer l'huile dans un wok préchauffé. Lorsqu'elle est très chaude, mettre à revenir les ciboules et l'ail pendant 30 secondes.

5 Ajouter les champignons, les poivrons et les carottes. Faire sauter les légumes à grand feu jusqu'à ce qu'ils commencent à ramollir.

6 Mélanger la sauce de haricots à l'eau. Incorporer ce mélange aux légumes et laisser cuire 3 à 4 minutes. Ajouter les germes de soja et laisser cuire 1 minute de plus, pour bien imprégner les légumes de sauce. Saler, poivrer et servir bien chaud.

REMARQUE PRATIQUE

La sauce de haricots noirs est préparée avec des haricots noirs salés, au goût caractéristique, que l'on broie pour les mélanger à toutes sortes d'épices, telles que gingembre et piment. Elle se présente sous la forme d'une épaisse purée qui se vend en bocaux, en bouteilles ou en boîtes, et se conserve au réfrigérateur après ouverture.

Épinards sautés à l'ail et au sésame

Les graines de sésame ajoutent
une texture croquante,
qui contraste bien avec celle
des feuilles d'épinards.
Un plat facile à préparer.

INGRÉDIENTS

Pour 2 personnes
230 g d'épinards frais
1 à 2 cuil. à soupe de graines de sésame
2 cuil. à soupe d'huile d'arachide
1 bonne pincée de gros sel marin
2 ou 3 gousses d'ail hachées

REMARQUE PRATIQUE

Faire attention en mettant les épinards dans
l'huile chaude, car ils crépiteront très fort.

1 Essorer légèrement les épinards puis
couper et jeter les tiges, ainsi que les
feuilles abîmées ou jaunies. Empiler plusieurs feuilles et les enrouler, très serrées,
pour les couper en larges bandes, en diagonale. Procéder de même avec les feuilles
restantes.

2 Chauffer un wok à feu moyen et faire
sauter les graines de sésame sans matière
grasse pendant 1 à 2 minutes, en remuant,
jusqu'à ce qu'elles soient dorées. Les transférer ensuite dans un bol et réserver.

3 Dans le wok préchauffé avec l'huile,
faire revenir les épinards, l'ail et le
gros sel 2 minutes, jusqu'à ce que les
feuilles d'épinards soient bien enduites et
commencent à se faner.

4 Verser les graines de sésame grillées
sur les épinards et bien remuer. Servir
immédiatement.

Chou chinois à la sauce d'huître

Très facile et rapide à réaliser, cette préparation cantonaise forme un excellent accompagnement à des plats de poisson orientaux ou occidentaux. Pour en faire un véritable plat végétarien, la sauce d'huître sera remplacée par une sauce *hoi-sin* ou une sauce de soja claire.

INGRÉDIENTS

Pour 3 à 4 personnes
450 g de chou chinois
2 cuil. à soupe d'huile d'arachide
1 à 2 cuil. à soupe de sauce d'huître

1 Tailler le chou, en jetant les feuilles décolorées ou les tiges abîmées. Le couper en petits morceaux.

2 Faire chauffer un wok avant d'y verser l'huile en prenant soin de bien l'étaler.

3 Mettre les feuilles de chou chinois à sauter dans l'huile jusqu'à ce qu'elles commencent à se faner.

4 Verser la sauce d'huître et laisser revenir quelques secondes, afin que les feuilles soient cuites et encore croustillantes. Servir chaud.

--- SUGGESTION DU CHEF ---

Il est possible de remplacer le chou chinois par un autre légume, appelé *choi sam*, sorte de chou-fleur cantonais que l'on reconnaît à ses feuilles bien vertes et ses petits bouquets jaunes. Toutes les parties du légume sont comestibles. Il se vend dans les épiceries asiatiques.

Tofu sauté

Le tofu se caractérise par
son moelleux, qui forme un
délicieux contraste avec la texture
croquante des légumes sautés.
On achètera le tofu sous
sa forme compacte et bien ferme,
pour le découper facilement.

INGRÉDIENTS

Pour 2 à 4 personnes
120 g de chou blanc
2 piments verts
230 g de tofu compact et bien ferme
3 cuil. à soupe d'huile végétale
2 gousses d'ail écrasées
3 ciboules hachées
175 de haricots verts équeutés
175 g de mini-épis de maïs
   coupés en deux
120 g de germes de soja
3 cuil. à soupe de beurre de cacahuètes
1 à 2 cuil. à soupe de sauce de soja brune
30 cl de lait de coco

1 Couper le chou en lanières. Épépiner
les piments avant de les hacher menu.
Enfiler des gants de caoutchouc pour se
protéger les mains, si nécessaire.

2 Découper le tofu en lamelles de taille
identique aux lanières de chou.

3 Faire chauffer le wok avant d'y verser
2 cuillerées à soupe d'huile. Lorsqu'elle est suffisamment chaude, mettre à
revenir le tofu pendant 3 minutes, puis le
débarrasser et réserver. Essuyer le wok
avec du papier absorbant.

4 Verser l'huile restante dans le wok.
Lorsqu'elle est chaude, faire revenir
l'ail, les ciboules et les piments pendant
1 minute. Ajouter les haricots verts, les
mini-épis de maïs et les germes de soja.
Laisser revenir pendant 2 minutes supplémentaires.

5 Incorporer le beurre de cacahuètes et
la sauce de soja. Bien remuer pour
enduire totalement les légumes. Remettre
le tofu.

6 Verser le lait de coco sur les légumes
et laisser mijoter pendant 3 minutes.
Servir rapidement.

REMARQUE PRATIQUE

Il existe des centaines de variétés différentes
de piments. On sait, d'une manière générale,
que les piments vert foncé sont plus forts que
les piments vert clair. D'autre part, les
piments verts sont en principe plus piquants
que les rouges. Mais cela n'est pas une règle
absolue et on peut toujours se faire sur-
prendre par une variété nouvelle. On mesure
le «piquant» des piments en unités Scoville :
les piments doux sont à 0 et les piments
habanero mexicains «explosent» à 300 000,
tout en haut de l'échelle ! Quelques plats
indonésiens sont extrêmement pimentés,
tandis que la cuisine chinoise reste, dans l'ensemble, moins relevée.

Gado-Gado de légumes cuits

Cette préparation peut être servie en portions individuelles, plutôt que présentée sur un grand plat. Elle constitue un repas léger idéal pour les réunions entre amis.

INGRÉDIENTS

Pour 6 personnes

230 g de pommes de terre fermes cuites
450 g de mélange de chou, d'épinards
    et de germes de soja lavés et coupés
    en lanières, dans des proportions égales
1/2 concombre coupé en dés et salé
2 ou 3 œufs durs épluchés
120 g de tofu frais
huile de friture
6 à 8 grandes chips de crevettes
jus de citron
garniture : rondelles d'oignon frites
    (voir p. 175), sauce aux cacahuètes
    (voir p. 181)

1 Tailler les pommes de terre en dés et réserver. Faire bouillir une grande casserole d'eau salée. Blanchir séparément chaque sorte de légume (sauf le concombre), en les plongeant quelques secondes dans l'eau bouillante. Les retirer à l'aide d'une grande écumoire ou les verser dans une passoire, puis les rincer à l'eau froide ou les plonger 2 minutes dans de l'eau glacée. Bien égoutter. Rincer les dés de concombre et bien les égoutter.

2 Couper les œufs durs en quartiers et le tofu en dés.

3 Dans un wok préchauffé avec de l'huile, frire le tofu afin qu'il soit croustillant.

4 Égoutter sur du papier absorbant. Ajouter de l'huile dans le wok et frire les chips de crevettes, 2 ou 3 à la fois. Les réserver sur du papier absorbant.

5 Disposer tous les légumes cuits sur un plat avec le concombre, les œufs durs et les dés de tofu. À la dernière minute, asperger de jus de citron et garnir de rondelles d'oignon frites.

6 Servir accompagné de sauce aux cacahuètes et proposer les chips de crevettes à part.

Beignets de courgettes et salsa thaïlandaise

La délicieuse salsa thaïlandaise
servie avec les beignets
de courgettes accompagne
également très bien des plats
de saumon ou de bœuf sauté.

INGRÉDIENTS

Pour 2 à 4 personnes
2 cuil. à café de graines de cumin
2 cuil. à café de graines de coriandre
450 g de courgettes
120 g de farine de pois chiches
1/2 cuil. à café de bicarbonate de soude
12 cl d'huile d'arachide
sel et poivre noir moulu
garniture : feuilles de menthe fraîche

La salsa thaïlandaise
1/2 concombre coupé en dés
3 ciboules hachées
6 radis coupés en dés
2 cuil. à soupe de menthe fraîche hachée
1 racine de gingembre fraîche de 2 à
  3 cm de long, épluchée et râpée
3 cuil. à soupe de jus de citron vert
2 cuil. à soupe de sucre en poudre
3 gousses d'ail écrasées

1 Faire chauffer un wok, puis y griller
les graines de cumin et de coriandre à
sec. Les laisser refroidir avant de les broyer
dans un mortier.

SUGGESTION DU CHEF

Les radis ronds employés dans la salsa peuvent éventuellement être remplacés par du
mooli, également appelé radis blanc.

2 Couper les courgettes en bâtonnets de
7 à 8 cm et les verser dans un saladier.

3 Mixer ensemble la farine de pois
chiches, le bicarbonate de soude, les
épices, du sel et du poivre. Ajouter 12 cl
d'eau chaude, 1 cuillerée à soupe d'huile
d'arachide, puis mixer à nouveau.

4 Enduire les bâtonnets de courgettes
de cette pâte à frire et laisser reposer
10 minutes.

5 Pour préparer la salsa, mélanger dans
un saladier le concombre, les ciboules, les radis, la menthe, le gingembre et le
jus de citron vert. Remuer en ajoutant le
sucre et l'ail.

6 Faire chauffer le wok avant d'y verser
le reste d'huile. Lorsqu'elle est chaude,
frire les bâtonnets de courgettes par petites
quantités. Égoutter sur du papier absorbant et servir chaud avec la salsa.

Légumes aux épices et au lait de coco

On peut servir ce plat de légumes sautés en entrée ou en faire un repas végétarien pour 2 personnes. À déguster avec couteau et fourchette et une bonne provision de pain aux céréales, pour profiter du lait de coco jusqu'à la dernière goutte.

INGRÉDIENTS

Pour 2 à 4 personnes
1 piment rouge
1 bulbe de fenouil
2 grosses carottes
6 branches de céleri
2 cuil. à soupe d'huile de pépins
    de raisins
1 racine de gingembre fraîche de 2 à
    3 cm de long, épluchée et râpée
1 gousse d'ail écrasée
3 ciboules coupées en rondelles
40 cl de lait de coco en boîte
1 cuil. à soupe de coriandre fraîche
    hachée
sel et poivre noir moulu
garniture : branches de coriandre fraîche

─── REMARQUE PRATIQUE ───

Lorsqu'on achète du fenouil, il faut toujours choisir les bulbes les plus arrondis, car un bulbe aplati est le signe d'un légume trop jeune, qui n'aura pas toute la saveur anisée du fenouil. Les bulbes doivent être blancs, pas trop secs et recouverts de couches striées se chevauchant.

1 Couper en deux le piment, l'épépiner et le hacher finement. Porter des gants de caoutchouc si nécessaire.

2 Détailler les carottes et le céleri en fines tranches, en diagonale.

3 Tailler grossièrement le bulbe de fenouil à l'aide d'un couteau bien aiguisé.

4 Faire chauffer le wok avant d'y verser l'huile. Lorsqu'elle est chaude, mettre le piment, le fenouil, les carottes, le céleri, le gingembre, l'ail et les ciboules à revenir, pendant 2 minutes.

5 Incorporer le lait de coco et porter à ébullition.

6 Tout en remuant, ajouter la coriandre, du sel et du poivre. Décorer de branches de coriandre avant de servir.

Pak choi et champignons sautés

Procurez-vous de nombreuses sortes de champignons pour cette recette, notamment des champignons parfumés et exotiques où, à défaut, des pleurotes, girolles, cèpes, etc.

INGRÉDIENTS

Pour 4 personnes

4 champignons noirs chinois séchés
15 cl d'eau chaude
450 g de *pak choi*
50 g de champignons shiitake (ou d'autres champignons exotiques)
50 g de champignons parfumés
1 cuil. à soupe d'huile végétale
1 gousse d'ail écrasée
2 cuil. à soupe de sauce d'huître

1 Mettre les champignons noirs à tremper dans de l'eau chaude pendant 15 minutes, pour les ramollir.

2 Déchirer avec les doigts le *pak choi* en petits morceaux faciles à cuire.

3 Couper en deux les champignons exotiques trop gros.

4 Égoutter les champignons parfumés. Dans un wok préchauffé avec l'huile, mettre à revenir l'ail jusqu'à ce qu'il ait ramolli, sans le brunir.

5 Ajouter le *pak choi* et le faire revenir 1 minute. Incorporer ensuite tous les légumes et les laisser cuire 1 minute.

6 Verser la sauce d'huître sur les légumes et bien remuer avant de servir.

REMARQUE PRATIQUE

Le *pak choi*, connu également sous les noms de *bok choi, pok choi*, ou chou en cuillère, est une variété de chou assez particulière, aux longues tiges blanches et molles et aux feuilles vert foncé. Son goût agréable n'évoque en rien celui du chou.

Tofu rouge aux champignons chinois

On appelle « rouges » les plats chinois dont la coloration provient de l'emploi d'une sauce de soja foncée. Ce délicieux mets peut être servi en entrée ou en plat principal.

INGRÉDIENTS

Pour 4 personnes

230 g de tofu compact bien ferme
3 cuil. à soupe de sauce de soja foncée
2 cuil. à soupe de vin de riz chinois
   (ou de Xérès sec)
2 cuil. à café de sucre brun
1 gousse d'ail écrasée
1 cuil. à soupe de gingembre frais râpé
1/2 cuil. à café de poudre cinq-épices
   chinoise
1 pincée de grains de poivre du Sichuan
   grillés et moulus
6 champignons noirs chinois séchés
1 cuil. à café de Maïzena
2 cuil. à soupe d'huile d'arachide
5 ou 6 ciboules en morceaux de 2 à
   3 cm, parties blanches et vertes séparées
garniture : petites feuilles de basilic frais
accompagnement : nouilles de riz

2 Laisser tremper les champignons noirs dans de l'eau chaude pendant 20 à 30 minutes, pour les ramollir. Bien les égoutter et réserver 6 cuillerées à soupe du liquide obtenu. Détacher les pieds des champignons pour ne garder que les chapeaux, qui seront coupés en tranches. Dans un bol, mélanger la Maïzena avec la marinade et le liquide des champignons.

4 Mettre les champignons et la partie blanche des ciboules dans le wok à revenir, pendant 2 minutes. Recouvrir de la préparation à base de marinade et remuer 1 minute, pour épaissir.

5 Remettre le tofu dans le wok, avec la partie verte des ciboules. Laisser mijoter 1 à 2 minutes. Servir rapidement, garni de feuilles de basilic et accompagné de nouilles de riz.

1 Sécher le tofu avec du papier absorbant et le découper en dés de 2 à 3 cm de côté dans une assiette creuse. Mélanger dans un bol la sauce de soja, le vin chinois (ou le Xérès), le sucre, l'ail, le gingembre, la poudre cinq-épices et le poivre du Sichuan. Verser ce mélange sur le tofu et bien remuer avant de laisser mariner. Au bout de 30 minutes, égoutter le tofu et réserver la marinade.

3 Faire chauffer un wok avant d'y verser l'huile, en l'étalant uniformément. Ajouter les dés de tofu et les faire sauter pendant 2 à 3 minutes, jusqu'à ce qu'ils soient entièrement dorés. Les retirer du wok et les réserver.

Crêpes fourrées aux légumes sautés

Chaque convive verse quelques
gouttes de sauce *hoi-sin* sur
1 crêpe avant d'y étaler
1 portion de légumes sautés
et de l'enrouler. Un régal !

INGRÉDIENTS

Pour 4 personnes

3 œufs
2 cuil. à soupe d'eau
4 cuil. à soupe d'huile d'arachide
25 g de champignons noirs chinois
25 g de champignons parfumés, séchés
2 cuil. à café de Maïzena
2 cuil. à soupe de sauce de soja claire
2 cuil. à soupe de vin de riz chinois
   (ou de Xérès sec)
2 cuil. à café d'huile de sésame
2 gousses d'ail finement hachées
1 racine de gingembre fraîche de 1,5 cm
   de long, coupée en fines lanières
75 g de pousses de bambou en boîte,
   rincées et égouttées
175 g de germes de soja
4 ciboules coupées en fines lanières
sel et poivre noir moulu
crêpes chinoises
accompagnement : sauce *hoi-sin*

1 Battre ensemble le mélange œufs,
eau, sel et poivre dans un bol. Faire
chauffer 1 cuillerée à soupe d'huile, en
l'étalant bien dans le wok. Verser les œufs
battus et pencher le wok pour les répartir
uniformément. Cuire à grand feu pendant
2 minutes, jusqu'à ce que l'omelette soit
prête, et la retirer pour la laisser refroidir.
La découper ensuite en fines lamelles.
Bien essuyer le wok.

SUGGESTION DU CHEF

Vous trouverez les crêpes chinoises dans
toutes les épiceries asiatiques. Il suffira de les
réchauffer à la vapeur (dans une marmite en
bambou) avant de les servir.

2 Placer les champignons noirs et les
champignons parfumés dans des bols
séparés et les recouvrir d'eau chaude.
Laisser tremper pendant 20 à 30 minutes
pour les ramollir. Égoutter les champignons en conservant le jus obtenu. Bien
les sécher.

3 Retirer les tiges dures avant de couper les champignons noirs en fines
lanières. Couper de la même manière les
champignons parfumés. Réserver. Filtrer
le jus des champignons dans un pot et
réserver 12 cl de ce liquide. Mélanger
dans un saladier la Maïzena avec le jus
réservé, la sauce de soja, le vin de riz (ou
le Xérès) et l'huile de sésame.

4 Faire chauffer le wok à feu moyen
avant d'y verser le reste d'huile d'arachide. Mettre à revenir les champignons
parfumés et les champignons noirs pendant
2 minutes. Ajouter l'ail, le gingembre, les
pousses de bambou et les germes de soja et
laisser cuire encore 1 à 2 minutes.

5 Verser la sauce à base de Maïzena sur
les légumes et laisser cuire 1 minute,
sans cesser de remuer, jusqu'à épaississement du mélange. Ajouter les ciboules et
les lamelles d'omelette, puis remuer doucement. Goûter pour ajouter éventuellement sel, poivre ou sauce de soja. Garnir
de légumes les crêpes chinoises chaudes et
servir aussitôt avec la sauce *hoi-sin*.

Légumes sautés et omelette à la coriandre

Le wok est l'ustensile idéal pour cuire une omelette, car la chaleur y est répartie uniformément sur une large surface. La pellicule qui recouvre les légumes leur donne un bel aspect luisant, mais il ne s'agit pas à proprement parler d'une sauce. Cette recette fera le bonheur des végétariens.

INGRÉDIENTS

Pour 3 à 4 personnes

L'omelette

2 œufs
2 cuil. à soupe d'eau
3 cuil. à soupe de coriandre fraîche moulue
sel et poivre noir moulu
1 cuil. à soupe d'huile d'arachide

Les légumes laqués

1 cuil. à soupe de Maïzena
2 cuil. à soupe de vin de Xérès sec
1 cuil. à soupe de sauce au piment doux
12 cl de bouillon de légumes
2 cuil. à soupe d'huile d'arachide
1 cuil. à café de gingembre frais râpé
6 à 8 ciboules coupées en rondelles
120 g de haricots mange-tout
1 poivron jaune évidé et coupé en fines tranches
120 g de champignons de Paris
120 g de châtaignes d'eau en boîte, rincées et égouttées
120 g de germes de soja
1/2 chou chinois grossièrement coupé en lanières

SUGGESTION DU CHEF

Les légumes employés pour cette recette peuvent se décliner à l'infini selon la saison et les préférences de chacun. Il suffit de les couper en julienne bien homogène.

1 Dans un petit saladier, battre ensemble les œufs, l'eau, la coriandre, le sel et le poivre. Mettre l'huile à chauffer dans un wok. Verser les œufs en les étalant bien sur toute la surface du wok. Cuire à grand feu jusqu'à ce que les bords de l'omelette soient légèrement croustillants.

2 Retourner l'omelette à l'aide d'une spatule et cuire l'autre face pendant 30 secondes. Déposer l'omelette sur une planche à découper et la laisser refroidir. Lorsqu'elle est froide, il suffit de l'enrouler sur elle-même et de la couper en fines tranches. Bien essuyer le wok.

3 Dans un saladier, préparer le glaçage en mélangeant la Maïzena, le vin de Xérès, la sauce au piment et le bouillon de légumes. Réserver.

4 Faire chauffer un wok avant d'y verser l'huile en l'étalant uniformément. Mettre à revenir le gingembre et les ciboules quelques secondes, pour parfumer l'huile. Ajouter les haricots, le poivron, les champignons et les châtaignes d'eau et les laisser cuire 3 minutes.

5 Ajouter les germes de soja et le chou chinois, et faire revenir le tout encore 2 minutes.

6 Verser sur les légumes la préparation pour le glaçage. Remuer pendant 1 minute, jusqu'à ce que le glaçage épaississe et forme une pellicule sur les légumes. Transférer le tout sur un plat chaud et garnir avec les lanières d'omelette. Servir très rapidement.

Brocolis à la sauce d'huître

Lorsque l'on cuit le brocoli dans un wok, ses bouquets conservent non seulement leur intense couleur et leur texture croquante, mais également l'essentiel de leurs vitamines et de leurs minéraux. Les végétariens préféreront remplacer la sauce d'huître par une sauce *hoi-sin*.

INGRÉDIENTS

Pour 4 personnes
450 g de brocolis
3 à 4 cuil. à soupe d'huile végétale
1/2 cuil. à café de sel
1/2 cuil. à café de sucre roux
2 à 3 cuil. à soupe de bouillon
  de légumes (ou d'eau)
2 cuil. à soupe de sauce d'huître

1 Séparer les brocolis en bouquets, en jetant l'écorce dure des queues. Couper les bouquets en diagonale pour obtenir des morceaux en forme de losange.

2 Chauffer l'huile dans un wok préchauffé et y verser le sel, puis faire revenir les brocolis pendant 2 minutes. Ajouter le sucre et le bouillon de légumes (ou l'eau) et laisser revenir 1 minute, en remuant. Pour finir, ajouter la sauce d'huître, bien remuer et servir.

—————— SUGGESTION DU CHEF ——————

Toujours choisir des brocolis bien frais, aux tiges fermes et ne paraissant ni trop dures ni trop striées. Leurs bouquets doivent être serrés, leurs couleurs vives et ne virant pas au jaune. Il est conseillé de manger le brocoli peu de temps après l'avoir acheté – ou, mieux encore, cueilli – car il perd rapidement ses vitamines lorsqu'il est entreposé.

Oignons frits

Les oignons frits, ou *bawang goreng,* accompagnent traditionnellement de nombreux plats indonésiens. On peut les acheter tout prêts dans les épiceries orientales, mais il est facile d'en préparer soi-même avec des oignons frais. Choisissez de petits oignons rouges, excellents en friture car ils sont moins gorgés d'eau que les autres.

INGRÉDIENTS

Pour 500 g environ de friture
500 g de petits oignons rouges
huile de friture

1 Éplucher les oignons et les couper en rondelles aussi fines et régulières que possible.

2 Étaler, sans qu'elles se chevauchent, les rondelles d'oignons à l'air libre sur du papier absorbant. Laisser sécher à l'air libre, entre 1 et 2 heures.

3 Faire chauffer l'huile dans un wok à 190 °C. Frire les rondelles d'oignons par poignées, en les remuant constamment, jusqu'à ce qu'elles soient dorées et bien croustillantes. Bien égoutter sur du papier absorbant et laisser refroidir.

───── SUGGESTION DU CHEF ─────

Il est possible de préparer et frire de l'ail de la même façon. Des rondelles d'ail frites apportent une dimension supplémentaire à la saveur des nombreux plats qu'ils peuvent garnir.

Pour réussir des oignons frits chez soi très facilement, on peut utiliser des oignons préfrits surgelés, vendus en sachets. Il suffit de les faire revenir dans de l'huile végétale ou, dans certains cas, de les réchauffer au four.

Pousses de bambou et champignons chinois

On donne également à cette recette le joli nom de « Légumes jumeaux de l'hiver », car les pousses de bambou, comme les champignons chinois, sont par nature des légumes associés à cette saison.

INGRÉDIENTS

Pour 4 personnes
50 g de champignons chinois séchés
275 g de pousses de bambou d'hiver
3 cuil. à soupe d'huile végétale
1 ciboule coupée en petits morceaux
2 cuil. à soupe de sauce de soja claire
 (ou de sauce d'huître)
1 cuil. à soupe de vin de riz chinois
 (ou de Xérès sec)
1/2 cuil. à café de sucre roux
2 cuil. à café de pâte de Maïzena
 (voir p. 30)
quelques gouttes d'huile de sésame

1 Laisser tremper les champignons au moins 3 heures. Bien les presser pour les égoutter et ôter les pieds qui semblent durs. Réserver le jus. Couper les champignons en deux ou en quatre, selon leur taille.

2 Rincer et égoutter les pousses de bambou, avant de les détailler en petits morceaux.

3 Chauffer l'huile dans un wok préchauffé, pour y faire revenir les champignons et les pousses de bambou pendant 1 minute environ. Ajouter la ciboule, la sauce de soja (ou d'huître), le vin de riz (ou le Xérès), le sucre et 2 à 3 cuillerées à soupe du jus réservé des champignons. Porter à ébullition et braiser le tout 1 à 2 minutes. Tout en remuant, incorporer la pâte de Maïzena pour épaissir. Asperger d'huile de sésame et servir.

Œufs, tomates et concombres sautés

On peut, au choix, remplacer le concombre par du poivron vert ou de l'aubergine.

INGRÉDIENTS

Pour 4 personnes
175 g de tomates fermes pelées
1/2 concombre
4 œufs
1 cuil. à café de sel
1 ciboule finement hachée
4 cuil. à soupe d'huile végétale
2 cuil. à café de vin de riz chinois
 ou de Xérès sec (facultatif)

1 Couper les tomates et le 1/2 concombre en deux, puis en petits morceaux. Dans un saladier, battre les œufs en ajoutant 1 pincée de sel et quelques morceaux de ciboule hachée.

2 Chauffer la moitié de l'huile environ dans un wok préchauffé, avant d'y verser les œufs. Les faire brouiller légèrement à feu modéré, jusqu'à ce qu'ils prennent mais sans être trop secs. Les retirer du wok et les réserver au chaud.

3 Verser l'huile restante dans le wok et la faire chauffer à grand feu. Ajouter les légumes et les faire sauter 1 minute. Assaisonner du reste de sel, avant d'incorporer les œufs brouillés (et le vin, le cas échéant). Servir rapidement.

LES SALADES

La cuisine sautée permet de créer toutes
sortes de salades très originales.
Grâce à ce mode de cuisson, les saveurs
se mélangent facilement, sans perdre
leur texture, ni le croquant indispensable
à toute salade. Légumes, fruits de mer,
poulet et nouilles ne sont que
quelques-uns des ingrédients que
vous pourrez associer, selon l'inspiration
du moment, pour créer de délicieux
repas d'été ou des plats d'accompagnement
qui vous rafraîchiront en toute saison :
une Salade de légumes sauce
piquante à la cacahuète, *un succulent
mélange thaïlandais de fruits de mer
et d'épices,* ou encore *l'inoubliable*
Salade de vermicelles de riz
et porc sauté au curry.

Salade au tofu et au concombre

Le *tahu goreng ketjap* est une
salade fort nourrissante, que l'on
accompagne d'une vinaigrette
aigre-douce piquante. Elle est
très appréciée lors d'un buffet.

INGRÉDIENTS

Pour 4 à 6 personnes
1 petit concombre
huile de friture
1 morceau de tofu frais ou 120 g de tofu
   en sachet
120 g de germes de soja taillés et rincés
sel

La vinaigrette
1 petit oignon râpé
2 gousses d'ail écrasées
1/2 cuil. à café de poudre de piment
2 à 3 cuil. à soupe de sauce de soja brune
1 à 2 cuil. à soupe de vinaigre de riz
2 cuil. à café de sucre brun
sel
garniture : feuilles de céleri

1 Tailler les extrémités du concombre
avant de le couper en dés. Saupoudrer
de sel et réserver pendant la préparation
des autres ingrédients.

SUGGESTION DU CHEF

Les germes de soja sont issus des haricots
mungo. Vous pouvez en faire germer facilement chez vous, sur du coton humide
par exemple. Il faut impérativement les
consommer frais. Vérifiez toujours qu'ils
soient croquants et ne commencent pas à
brunir ou ramollir. Les germes de soja ne se
conservent que 1 ou 2 jours.

---

2 Chauffer un peu d'huile dans une
poêle et faire revenir le tofu, jusqu'à
ce qu'il soit bien doré. Le couper en dés
et l'égoutter sur du papier absorbant.

3 Pour préparer la vinaigrette, mélanger
l'oignon, l'ail et la poudre de piment.
Tout en remuant, ajouter la sauce de soja,
le vinaigre, le sucre et le sel.

4 Avant de servir, rincer les morceaux
de concombre à l'eau froide, puis les
égoutter et bien les sécher. Mélanger
ensemble le concombre, le tofu et les
germes de soja dans un saladier. Verser la
vinaigrette sur la salade. Garnir de feuilles
de céleri et servir.

Salade de légumes sauce piquante à la cacahuète

La délicieuse sauce à la cacahuète de cette recette permet d'apprécier les performances du wok en cuisson avec ou sans matière grasse.

INGRÉDIENTS

Pour 4 à 6 personnes
2 pommes de terre épluchées
175 g de haricots verts équeutés

La sauce de cacahuètes
150 g de cacahuètes
1 cuil. à soupe d'huile végétale
2 échalotes (ou 1 petit oignon)
  finement hachées
1 gousse d'ail écrasée
1 ou 2 petits piments épépinés
  et finement hachés
1 cuil. à soupe de sauce de poisson
  ou 1 morceau de pâte de crevettes
  (facultatif)
2 cuil. à soupe de sauce de tamarin
10 cl de lait de coco en boîte
5 cl de miel

La salade
175 g de chou chinois coupé en lanières
feuilles de laitues ou de romaine
175 g de germes de soja lavés
1/2 concombre coupé en bâtonnets
150 g de gros radis blancs
  coupés en lamelles
3 ciboules coupées
230 g de tofu coupé en gros dés
3 œufs durs coupés en quartiers

1 Cuire les pommes de terre dans de l'eau salée pendant 20 minutes. Cuire de même les haricots verts 3 à 4 minutes. Égoutter les pommes de terre et les haricots, et les rafraîchir à l'eau froide.

2 Pour confectionner la sauce à la cacahuète, griller les cacahuètes à sec dans un wok ou sous le grill d'un four, en prenant soin de les faire sauter pour éviter de les brûler. Les verser ensuite sur une serviette propre, qui sera refermée et frottée pour que la peau des cacahuètes se détache. Enfin, placer les cacahuètes dans un mixer pour les broyer pendant 2 minutes.

3 Chauffer l'huile dans un wok et y faire revenir les échalotes (ou l'oignon), l'ail et les piments sans les laisser se colorer. Ajouter, le cas échéant, la sauce de poisson ou la pâte de crevettes, en même temps que la sauce de tamarin, le lait de coco et le miel. Laisser mijoter un court instant, puis verser dans le mixer contenant les cacahuètes. Mixer pour obtenir une sauce épaisse.

4 Disposer tous les ingrédients de la salade, les pommes de terre et les haricots sur un grand plateau et servir avec un bol de sauce à la cacahuète.

Salade thaïlandaise aux fruits de mer

Cette salade assaisonnée au piment, à la citronnelle et à la sauce de poisson est à la fois très légère et rafraîchissante.

INGRÉDIENTS

Pour 4 personnes

230 g de calmars préparés
230 g de grosses crevettes crues
8 coquilles Saint-Jacques
230 g de filets de poisson blanc ferme
2 à 3 cuil. à soupe d'huile d'olive
garniture : petites feuilles de laitue
    et branches de coriandre

La vinaigrette

2 petits piments rouges épépinés et hachés
1 branche de citronnelle de 5 cm de long,
    finement hachée
2 feuilles de lime de Cafre fraîche,
    coupées en lanières
2 cuil. à soupe de sauce de poisson
    thaïlandaise (nam pla)
2 échalotes coupées en fines rondelles
2 cuil. à soupe de jus de citron vert
2 cuil. à soupe de vinaigre de riz
2 cuil. à café de sucre en poudre

1 Préparation des fruits de mer : ouvrir les calmars, entailler leur chair avec un petit couteau aiguisé, puis les couper en dés. Si nécessaire, couper en deux les tentacules. Décortiquer les crevettes. Retirer la barbe et le muscle dur des coquilles Saint-Jacques. Détailler le poisson blanc en dés.

— SUGGESTION DU CHEF —

Afin d'éviter le risque que les crevettes soient porteuses de germes, il est primordial de bien les cuire.

2 Étaler l'huile dans un wok chaud. Faire revenir les crevettes 2 à 3 minutes, jusqu'à ce qu'elles deviennent roses, et les transférer dans un grand saladier. Faire sauter les calmars et les noix de Saint-Jacques pendant 1 ou 2 minutes. Les ajouter aux crevettes. Mettre à revenir le poisson blanc 2 à 3 minutes et l'ajouter aux fruits de mer. Conserver les jus obtenus.

3 Verser dans un bol les ingrédients de la vinaigrette, ainsi que les jus de cuisson réservés. Bien mélanger.

4 Verser la vinaigrette sur les fruits de mer et remuer avec précaution. Disposer des feuilles de salade et des branches de coriandre sur 4 assiettes. Placer dessus les fruits de mer, à l'aide d'une cuillère, et servir.

Salade de chou

Une préparation au chou simple et délicieuse, pouvant s'adapter à d'autres légumes tels que brocolis, chou-fleur, germes de soja ou chou chinois.

INGRÉDIENTS

Pour 4 à 6 personnes
2 cuil. à soupe de sauce de poisson
zeste râpé de 1 citron vert non traité
2 cuil. à soupe de jus de citron vert
12 cl de lait de coco
2 cuil. à soupe d'huile végétale
2 gros piments rouges épépinés
    et coupés en fines lanières
6 gousses d'ail grossièrement hachées
6 échalotes coupées en fines rondelles
1 petit chou blanc coupé en lanières
accompagnement : 2 cuil. à soupe
    de cacahuètes grillées
    grossièrement hachées

1 Préparer la vinaigrette en mélangeant la sauce de poisson, le jus et le zeste de citron et le lait de coco. Réserver.

2 Chauffer l'huile dans un wok et y faire revenir les piments, l'ail et les échalotes, jusqu'à ce que ces dernières soient dorées et croustillantes. Réserver.

3 Blanchir le chou en le plongeant dans l'eau bouillante et salée pendant 2 à 3 minutes environ. Bien l'égoutter avant de le verser dans un saladier.

4 Arroser le chou de vinaigrette. Bien remuer. Transférer ensuite sur un grand plat. Verser en pluie sur la salade de chou le mélange d'échalotes, ail et piments, ainsi que les cacahuètes grillées.

Salade de poulet amère et piquante

INGRÉDIENTS

Pour 4 à 6 personnes

2 escalopes de poulet sans la peau
1 petit piment rouge épépiné
  et finement haché
1 cm de gingembre frais, épluché
  et finement haché
1 gousse d'ail hachée
1 cuil. à soupe de beurre de cacahuètes
2 cuil. à soupe de feuilles de coriandre
  hachées
1 cuil. à café de sucre
1/2 cuil. à café de sel
1 cuil. à soupe de vinaigre de riz
  (ou de vinaigre de vin blanc)
4 cuil. à soupe d'huile végétale
2 cuil. à café de sauce de poisson
  (facultatif)
120 g de germes de soja
1 chou chinois coupé en lanières
2 carottes moyennes coupées
  en fines lamelles
1 oignon rouge coupé en fines rondelles
2 gros cornichons coupés en lamelles

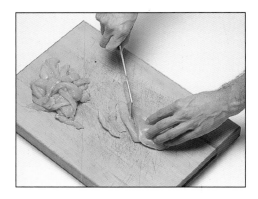

1 Découper les escalopes de poulet en fines tranches et réserver dans un saladier. Broyer ensemble le piment, le gingembre et l'ail dans un mortier. Ajouter le beurre de cacahuètes, la coriandre, le sucre et le sel.

2 Ajouter le vinaigre, 2 cuillerées à soupe d'huile et, éventuellement, la sauce de poisson. Bien mélanger et verser le tout sur le poulet, en l'enduisant entièrement. Laisser mariner au moins 2 ou 3 heures.

3 Faire chauffer le reste de l'huile (2 cuillerées à soupe) dans un wok préchauffé. Mettre à cuire le poulet pendant 10 à 12 minutes, en retournant les morceaux de temps à autre. En même temps, disposer sur un plat les germes de soja, le chou chinois, les carottes, les rondelles d'oignon et les lamelles de cornichon. Les morceaux de poulet seront ensuite servis sur cette salade très décorative.

Salade de luzerne au crabe et aux nouilles frites

INGRÉDIENTS

Pour 4 à 6 personnes

huile de friture végétale
50 g de nouilles de riz chinoises
2 crabes préparés (ou 150 g de chair
  de crabe blanc surgelée, décongelée)
120 g de germes de luzerne
1 petite scarole
4 branches de coriandre fraîche hachées
1 tomate pelée, évidée et coupée
4 feuilles de menthe fraîche
  grossièrement hachées

La vinaigrette au sésame

3 cuil. à soupe d'huile végétale
1 cuil. à soupe d'huile de sésame
1/2 piment rouge épépiné et haché
1 morceau de gingembre confit au sirop,
  coupé en lamelles
2 cuil. à café de sirop de gingembre
2 cuil. à café de sauce de soja
jus de 1/2 citron vert

1 Pour préparer la vinaigrette, mélanger les huiles dans un bol. Incorporer le piment, le gingembre confit, le sirop de gingembre, la sauce de soja et le jus de citron.

2 Dans un wok préchauffé, porter l'huile à 190 °C. Frire les nouilles par poignées, jusqu'à ce qu'elles soient croustillantes. Égoutter sur du papier absorbant.

3 Émietter le crabe dans un saladier et bien le mélanger aux germes de luzerne. Dans un plat de service creux, disposer la scarole, la coriandre, la tomate et la menthe, et remuer délicatement. Poser dessus un petit nid de nouilles frites et terminer en surmontant l'ensemble de germes de luzerne et de crabe.

Salade de nouilles aux œufs et poulet au sésame

INGRÉDIENTS

Pour 4 à 6 personnes

400 g de nouilles chinoises aux œufs
1 carotte coupée en fine julienne
50 g de haricots mange-tout équeutés,
    coupés en fines lanières et blanchis
2 cuil. à soupe d'huile d'olive
230 g d'escalopes de poulet, sans la peau,
    coupées en fines lamelles
2 cuil. à soupe de graines de sésame grillées
sel et poivre noir fraîchement moulu
garniture : 2 ciboules coupées en
    fines rondelles et quelques feuilles
    de coriandre

La vinaigrette

3 cuil. à soupe de vinaigre de Xérès
5 cuil. à soupe de sauce de soja
4 cuil. à soupe d'huile de sésame
6 cuil. à soupe d'huile d'olive légère
1 gousse d'ail finement hachée
1 cuil. à café de gingembre râpé
1 pincée de sel

1 Pour préparer la vinaigrette, il suffit de bien mélanger ensemble tous ses ingrédients dans un bol.

2 Cuire les nouilles dans une grande casserole d'eau bouillante. Remuer de temps en temps pour les séparer. Attention à ne pas les laisser cuire trop longtemps. Égoutter et rincer à l'eau froide, puis égoutter à nouveau et verser dans un saladier.

3 Disposer les légumes sur les nouilles et arroser de la moitié de la vinaigrette. Bien remuer. Saler et poivrer selon son goût.

4 Chauffer l'huile dans un wok. Faire revenir le poulet pendant 3 minutes, jusqu'à ce qu'il soit doré et bien cuit. Retirer du feu. Ajouter les graines de sésame et un peu de la vinaigrette restante.

5 Disposer les nouilles sur des assiettes individuelles, en formant un puits au centre de chacune d'elles. Déposer les morceaux de poulet au milieu et garnir de rondelles de ciboule et de feuilles de coriandre. Servir accompagné du reste de vinaigrette.

Salade aux pommes de terre et vermicelles

INGRÉDIENTS

Pour 4 personnes

2 pommes de terre moyennes, épluchées
   et coupées en 8 morceaux
175 g de vermicelles transparents,
   ramollis dans l'eau chaude
4 cuil. à soupe d'huile végétale
1 oignon coupé en fines rondelles
1 cuil. à café de curcuma moulu
4 cuil. à soupe de farine de pois chiches
1 cuil. à café de zeste râpé de citron
   non traité
4 à 5 cuil. à soupe de jus de citron
3 cuil. à soupe de sauce de poisson
4 ciboules coupées en petites rondelles
sel et poivre noir moulu

1 Plonger les pommes de terre dans une casserole d'eau et faire bouillir 15 minutes environ, jusqu'à ce qu'elles soient tendres mais fermes. Égoutter et laisser refroidir.

2 Pendant que les pommes de terre refroidissent, faire cuire les vermicelles – préalablement égouttés – dans une casserole d'eau bouillante pendant 3 minutes. Égoutter et rincer à l'eau froide. Égoutter à nouveau.

3 Dans un wok préchauffé avec l'huile, faire revenir l'oignon et le curcuma 5 minutes, jusqu'à ce que l'oignon soit bien doré. Égoutter l'oignon et réserver l'huile.

4 Mettre la farine de pois chiches dans une petite poêle chaude. Remuer constamment pendant 4 minutes, afin que la farine prenne une légère couleur dorée.

5 Dans un grand saladier, mélanger ensemble les pommes de terre, les vermicelles et l'oignon frit. Ajouter l'huile réservée, ainsi que la farine de pois chiches, le zeste et le jus de citron, la sauce de poisson et les rondelles de ciboule. Bien mélanger. Saler et poivrer. Servir sans attendre.

Salade de vermicelles de riz et porc sauté au curry

Le porc sauté ajoute une note croustillante à cette salade.

INGRÉDIENTS

Pour 4 personnes

230 g d'escalope de porc
2 gousses d'ail finement hachées
1 à 2 cuil. à café de gingembre frais
    finement haché
2 à 3 cuil. à soupe de vin de riz chinois
    (ou de Xérès sec)
3 cuil. à soupe d'huile végétale
2 branches de citronnelle hachées
2 cuil. à café de curry en poudre
175 g de germes de soja
230 g de vermicelles de riz ramollis
    dans de l'eau chaude
1/2 laitue coupée en lanières
2 cuil. à soupe de feuilles de menthe
jus de citron et sauce de poisson,
    à discrétion
sel et poivre noir moulu
garniture : 2 ciboules hachées,
    25 g de cacahuètes grillées et hachées,
    petites fritures de porc (facultatif)

1 Découper l'escalope de porc en fines lamelles dans un plat creux, et les mélanger avec la moitié de l'ail et la moitié du gingembre. Saler, poivrer et verser dessus 2 cuillerées à soupe de vin de riz. Laisser mariner au moins 1 heure.

2 Chauffer l'huile dans un wok et y faire revenir quelques secondes le reste d'ail et de gingembre. Tout en remuant, ajouter le porc et sa marinade, puis la citronnelle et le curry en poudre. Laisser revenir jusqu'à ce que le porc soit doré et bien cuit. Ajouter du vin de riz si le mélange semble trop sec.

3 Verser les germes de soja dans une passoire en inox et les blanchir en plongeant la passoire dans une casserole d'eau bouillante pendant 1 minute. Égoutter ensuite et passer sous l'eau froide. Égoutter de nouveau. Dans la même eau bouillante, faire cuire les vermicelles pendant 3 à 5 minutes. Les rincer à l'eau froide avant de les égoutter et de les transférer dans un saladier.

4 Ajouter aux vermicelles les germes de soja, les lanières de laitue et les feuilles de menthe. Assaisonner de jus de citron et de sauce de poisson. Saler, poivrer et remuer.

5 Préparer des portions individuelles en créant un nid de vermicelles sur chaque assiette. Déposer au centre le mélange à base de porc. Garnir de ciboule hachée, de cacahuètes grillées et, éventuellement, de fritures de porc.

Salade larp de Chiang Mai

Chiang Mai est une petite ville du nord-est de la Thaïlande. Elle est célèbre notamment pour sa salade de poulet, appelée *larp* (ou *laap*). Le poulet peut être remplacé par du canard, du bœuf ou du porc.

INGRÉDIENTS

Pour 4 à 6 personnes
450 g d'émincé de poulet
1 branche de citronnelle finement hachée
3 feuilles de lime de Cafre hachées
4 piments rouges épépinés et hachés
4 cuil. à soupe de jus de citron vert
2 cuil. à soupe de sauce de poisson
1 cuil. à soupe de riz concassé grillé
2 ciboules hachées
2 cuil. à soupe de feuilles de coriandre
garniture : quelques feuilles de menthe
accompagnement : feuilles de salades
    mélangées, rondelles de concombre
    et de tomate

1 Chauffer un wok ou une grande poêle antiadhésive. Mettre à cuire l'émincé de poulet avec un peu d'eau.

SUGGESTION DU CHEF

Pour préparer le riz concassé grillé, choisissez de préférence un riz gluant. Grillez le riz à sec jusqu'à ce qu'il soit bien doré. Broyez-le ensuite dans un mixer ou dans un mortier, pour le réduire en poudre. Ce riz concassé se conservera dans un bocal en verre, à condition d'être entreposé dans un endroit frais et sec.

2 Remuer constamment jusqu'à cuisson complète, soit environ 7 à 10 minutes.

3 Verser le poulet cuit dans un grand saladier et ajouter les autres ingrédients. Bien mélanger.

4 Servir la préparation de poulet sur un lit de salades mélangées, et garnir de rondelles de concombre et de tomate. Décorer de quelques feuilles de menthe.

LES NOUILLES

Il existe de très nombreuses variétés de
nouilles, et les façons de les accommoder
sont presque illimitées. Les cuisiniers
occasionnels et disposant de peu
de temps y trouveront un aliment simple
et rapide à préparer. Les recettes qui
suivent s'inspirent de la gastronomie
de nombreux pays ; certaines proposent
de savoureux mélanges de saveurs
occidentales et orientales, au détour
de plats colorés et pleins d'imagination.
Les nouilles se mêlent à toutes sortes
d'ingrédients, ce que vous découvrirez
en vous laissant séduire par les
Nouilles de sarrasin au fromage
de chèvre, *les* Vermicelles
croustillants aux légumes *ou encore
par le classique* Bamie Goreng.

Rubans de nouilles et de légumes

Servez ce plat très coloré accompagné d'une salade verte, afin d'en faire un repas léger ou une entrée pour 6 à 8 convives.

INGRÉDIENTS

Pour 4 personnes

1 grosse carotte épluchée
2 courgettes
50 g de beurre
1 cuil. à soupe d'huile d'olive
6 champignons exotiques frais (shiitake, par exemple), coupés en fines tranches
50 g de petits pois surgelés décongelés
350 g de nouilles aux œufs en rubans larges
2 cuil. à café d'un mélange d'herbes hachées (marjolaine, ciboulette et basilic, par exemple)
sel et poivre noir moulu
25 g de parmesan (facultatif)

1 À l'aide d'un épluche-légumes, découper soigneusement la carotte et les courgettes en rubans très fins.

2 Faire fondre le beurre avec l'huile d'olive dans un wok. Mettre à revenir les rubans de carotte et les champignons pendant 2 minutes. Ajouter les rubans de courgettes et les petits pois, et laisser revenir jusqu'à ce que les courgettes soient cuites, tout en restant croquantes. Saler et poivrer.

3 Dans le même temps, faire cuire les nouilles dans une grande casserole d'eau bouillante, jusqu'à ce qu'elles soient tendres. Bien les égoutter avant de les verser dans un saladier. Ajouter les légumes et remuer le tout.

4 Saupoudrer d'herbes fraîches. Saler et poivrer selon son goût. Le cas échéant, râper du parmesan sur les nouilles et remuer une dernière fois avant de servir.

Nouilles de sarrasin au fromage de chèvre

Les cuisiniers un peu paresseux seront ravis de la rapidité de préparation de ce succulent plat, à servir au dîner. La saveur rustique du sarrasin (blé noir) s'accorde parfaitement avec le goût poivré de la roquette, compensé par un fromage de chèvre bien crémeux.

INGRÉDIENTS

Pour 4 personnes

350 g de nouilles de sarrasin (blé noir)
50 g de beurre
2 gousses d'ail finement hachées
4 échalotes coupées en rondelles
75 g de noisettes légèrement grillées et grossièrement hachées
1 poignée de feuilles de roquette
175 g de fromage de chèvre
sel et poivre noir fraîchement moulu

1 Cuire les nouilles dans une grande casserole d'eau bouillante, jusqu'à ce qu'elles soient tendres. Bien égoutter.

2 Faire fondre le beurre dans un wok. Ajouter l'ail et les échalotes et les laisser revenir 2 à 3 minutes, en remuant, jusqu'à ce que les échalotes aient ramolli.

3 Ajouter les noisettes et les faire sauter 1 minute environ. Recouvrir des feuilles de roquette et attendre qu'elles se fanent pour remuer les nouilles. Laisser cuire le mélange encore quelques minutes.

4 Saler et poivrer. Émietter le fromage de chèvre sur le plat et servir.

Nouilles de Shanghai aux saucisses lap cheong

On trouve les *lap cheong,* saucisses de porc fumées à l'aspect huileux, dans les épiceries asiatiques. Elles s'emploient dans diverses recettes de riz, de poulet et de porc, ou bien avec des omelettes ou des légumes.

INGRÉDIENTS

Pour 4 personnes

2 cuil. à soupe d'huile végétale

120 g de lard maigre sans la couenne, coupé en morceaux

2 saucisses *lap cheong,* rincées à l'eau chaude, égouttées et coupées en fines rondelles

2 gousses d'ail finement hachées

2 ciboules grossièrement hachées

230 g de légumes verts chinois (ou d'épinards en branches coupés en petits morceaux)

450 g de nouilles de Shanghai fraîches

2 cuil. à soupe de sauce d'huître

2 cuil. à soupe de sauce de soja

poivre noir fraîchement moulu

1 Chauffer la moitié de l'huile dans un wok. Ajouter le lard et les saucisses avec l'ail et les ciboules. Faire revenir quelques minutes. À l'aide d'une écumoire, sortir le mélange du wok et réserver au chaud.

2 Verser le reste d'huile dans le wok. Lorsqu'elle est chaude, faire sauter les légumes verts (ou les épinards) pendant 3 minutes à grand feu, jusqu'à ce qu'ils commencent à faner.

3 Ajouter les nouilles, puis la préparation à base de saucisses dans le wok. Assaisonner avec la sauce d'huître, la sauce de soja et le poivre. Laisser revenir jusqu'à cuisson complète des nouilles.

> ———— SUGGESTION DU CHEF ————
>
> On trouve souvent le lard tout prêt, découpé en petites tranches. Pour couper la couenne qui entoure les tranches de lard frais, il est conseillé de se servir de ciseaux de cuisine.

Nouilles à la tomate, aux sardines et à la moutarde

Ce plat simple à préparer peut être servi chaud ou à température ambiante.

INGRÉDIENTS

Pour 4 personnes

350 g de nouilles aux œufs, assez larges

4 cuil. à soupe d'huile d'olive

2 cuil. à soupe de jus de citron

1 cuil. à soupe de moutarde à l'ancienne

1 gousse d'ail finement hachée

230 g de tomates mûres grossièrement hachées

1 petit oignon rouge finement haché

1 poivron vert évidé et coupé en dés

4 cuil. à soupe de persil haché

230 g de sardines en boîte, égouttées

sel et poivre noir fraîchement moulu

accompagnement (facultatif) : croûtons

1 Cuire les nouilles dans une grande casserole d'eau bouillante pendant 5 à 8 minutes, jusqu'à ce qu'elles soient tendres.

2 Pendant ce temps, battre ensemble dans un bol l'huile, le jus de citron, la moutarde et l'ail. Saler et poivrer.

3 Égoutter les nouilles et les verser dans un grand saladier. Bien remuer en ajoutant l'assaisonnement. Incorporer ensuite les tomates, l'oignon, le poivron vert, le persil et les sardines. Remuer délicatement. Saler et poivrer selon son goût et servir avec des petits croûtons (facultatif).

Chow Mein spécial

Les saucisses *lap cheong* peuvent s'acheter dans la plupart des épiceries chinoises. Vous pourrez éventuellement les remplacer par des dés de jambon, de chorizo ou de salami.

INGRÉDIENTS

Pour 4 à 6 personnes

3 cuil. à soupe d'huile végétale
2 gousses d'ail coupées en rondelles
1 cuil. à café de gingembre frais haché
2 piments rouges hachés
2 saucisses *lap cheong* de 75 g chacune, rincées et coupées en rondelles
1 escalope de poulet coupée en fines lamelles
16 grosses crevettes crues décortiquées, avec la queue gardée intacte
120 g de haricots verts
220 g de germes de soja
50 g de civette
450 g de nouilles aux œufs, cuites dans de l'eau bouillante jusqu'à ce qu'elles soient tendres
2 cuil. à soupe de sauce de soja
1 cuil. à soupe de sauce d'huître
sel et poivre noir fraîchement moulu
1 cuil. à soupe d'huile de sésame
garniture : 1 cuil. à soupe de feuilles de coriandre et 2 ciboules coupées en lanières

2 Chauffer le reste de l'huile dans le wok. Faire revenir les germes de soja et la civette pendant 1 à 2 minutes.

4 Verser dans le wok le mélange de saucisses, de poulet et de haricots. Réchauffer, en remuant pour bien mélanger, et ajouter l'huile de sésame. Garnir de lanières de ciboules et de feuilles de coriandre avant de servir.

1 Chauffer 1 cuillerée à soupe d'huile dans un wok ou une grande poêle et y faire revenir l'ail, le gingembre et les piments. Ajouter les saucisses, le poulet, les crevettes et les haricots verts. Faire sauter à grand feu pendant 2 minutes jusqu'à cuisson complète du poulet et des crevettes. Verser dans un saladier et réserver.

3 Incorporer les nouilles et bien mélanger. Ajouter la sauce de soja, la sauce d'huître, du sel et du poivre.

Chow Mein au poulet

Le *chow mein* est sans doute le plat de nouilles asiatique le plus connu en Occident. Les nouilles sont sautées avec de la viande, des fruits de mer ou des légumes.

INGRÉDIENTS

Pour 4 personnes

350 g de nouilles
230 g d'escalopes de poulet sans la peau
3 cuil. à soupe de sauce de soja
1 cuil. à soupe de vin de riz chinois (ou de Xérès sec)
1 cuil. à soupe d'huile de sésame foncée
4 cuil. à soupe d'huile végétale
2 gousses d'ail finement hachées
50 g de haricots mange-tout équeutés
120 g de germes de soja
50 g de jambon coupé en fines lanières
4 ciboules finement hachées
sel et poivre noir moulu

1 Cuire les nouilles dans une casserole d'eau bouillante, jusqu'à ce qu'elles soient tendres. Rincer à l'eau froide et égoutter.

2 Couper le poulet en fines lanières de 5 cm de long environ. Verser dans un petit saladier avec 2 cuillerées à café de sauce de soja, le vin chinois (ou le Xérès) et l'huile de sésame.

3 Chauffer la moitié de l'huile végétale dans un wok ou une large poêle à grand feu. Lorsqu'elle commence à fumer, ajouter la préparation au poulet et faire revenir 2 minutes. Disposer ensuite le poulet sur un plat et réserver au chaud.

4 Essuyer le wok avant d'y chauffer le reste d'huile. Mettre à revenir l'ail, les haricots, les germes de soja et le jambon pendant 1 minute avant d'incorporer les nouilles.

5 Laisser revenir le tout jusqu'à ce que les nouilles soient totalement cuites. Arroser du reste de sauce de soja (selon son goût). Saler et poivrer. Verser dans le mélange le poulet réservé au chaud et ce qu'il reste de jus. Incorporer les ciboules hachées et remuer une dernière fois. Servir rapidement.

Nouilles sautées végétariennes

Lorsqu'on prépare ce plat pour des non-végétariens, on peut y ajouter du *blacan* (pâte de crevettes compacte). Un morceau de la taille d'un cube de bouillon, écrasé dans la pâte de piment, apportera une délicieuse note aromatique.

INGRÉDIENTS

Pour 4 personnes

2 œufs
1 cuil. à café de poudre de piment
1 cuil. à café de curcuma
4 cuil. à soupe d'huile végétale
1 gros oignon coupé en fines rondelles
2 piments rouges épépinés
    et coupés en fines rondelles
1 cuil. à soupe de sauce de soja
2 grosses pommes de terre cuites
    et coupées en petits dés
6 pains de tofu frits coupés en lamelles
230 g de germes de soja
120 g de haricots verts blanchis
350 g de nouilles fraîches aux œufs
sel et poivre noir fraîchement moulu
garniture : ciboules coupées en rondelles

1 Battre légèrement les œufs dans un bol. Chauffer à peine une poêle et y verser la moitié des œufs, de manière à couvrir le fond de la poêle d'une fine pellicule. Lorsqu'elle commence à prendre, retourner l'omelette pour cuire l'autre face rapidement, puis la déposer sur une assiette et la sécher avec du papier absorbant avant de l'enrouler et de la couper en fines lanières. Procéder de même avec le reste des œufs et réserver.

REMARQUE PRATIQUE

Attention lorsque vous manipulez des piments : évitez de porter vos mains à vos yeux, car le piment les piquera. Lavez-vous les mains après chaque utilisation.

2 Mélanger le piment et la poudre de curcuma dans une tasse, en ajoutant un peu d'eau pour faire une pâte. Réserver.

3 Chauffer l'huile dans un wok ou une grande poêle. Faire revenir l'oignon pour le ramollir. Réduire le feu et ajouter la pâte de piment réservée, les rondelles de piments rouges et la sauce de soja. Laisser cuire 2 à 3 minutes.

4 Faire revenir les pommes de terre 2 minutes, en mélangeant bien avec les piments. Ajouter le tofu, les germes de soja, les haricots verts et les nouilles.

5 Laisser cuire en remuant délicatement, jusqu'à ce que les nouilles soient bien imprégnées et totalement cuites. Ne pas casser les morceaux de tofu ou de pommes de terre. Saler, poivrer et garnir de lanières d'omelette et de rondelles de ciboules. Servir bien chaud.

Nouilles transparentes sautées

INGRÉDIENTS

Pour 4 personnes

175 g de nouilles transparentes
ou « cellophane »
3 cuil. à soupe d'huile végétale
3 gousses d'ail finement hachées
120 g de crevettes cuites décortiquées
2 saucisses *lap cheong* rincées, égouttées et
coupées en fines rondelles
2 œufs
2 branches de céleri, avec les feuilles,
coupées en dés
120 g de germes de soja
120 g d'épinards coupés en gros morceaux
2 ciboules hachées
1 à 2 cuil. à soupe de sauce de poisson
1 cuil. à café d'huile de sésame
garniture : 1 cuil. à soupe de graines
de sésame grillées

1 Laisser tremper les nouilles dans de
l'eau chaude pendant 10 minutes, jusqu'à ce qu'elles ramollissent. Égoutter et
couper en morceaux de 10 cm de long.

2 Chauffer l'huile dans un wok et y faire
dorer l'ail. Ajouter les crevettes et les
saucisses, et laisser revenir 2 à 3 minutes.
Tout en remuant, incorporer les nouilles et
faire cuire 2 minutes supplémentaires.

3 Creuser un puits au centre de la préparation. Casser les œufs dans le puits
et remuer jusqu'à ce qu'ils commencent
à prendre.

SUGGESTION DU CHEF

Cette recette est très souple : vous pourrez
facilement utiliser d'autres légumes ou remplacer les saucisses par du jambon, du salami
ou du chorizo.

4 Tout en remuant, incorporer le céleri,
les germes de soja, les épinards et la
ciboule. Assaisonner avec la sauce de poisson et l'huile de sésame. Laisser revenir
jusqu'à ce que tous les ingrédients soient
cuits, en remuant bien.

5 Transférer le tout sur un plat et garnir de
graines de sésame. Servir rapidement.

Vermicelles croustillants aux légumes

Dans cette recette, on fait frire des vermicelles de riz avant de les mélanger à un assortiment de légumes sautés.

INGRÉDIENTS

Pour 4 personnes

2 grosses carottes
2 courgettes
4 ciboules
120 g de haricots verts
120 g de vermicelles de riz (ou de nouilles transparentes) séché(e)s
huile d'arachide pour friture
2 à 3 cm de gingembre frais coupé en lanières
1 piment rouge frais coupé en rondelles
120 g de champignons de Paris coupés en tranches épaisses
quelques feuilles de chou chinois coupées en lanières
75 g de germes de soja
2 cuil. à soupe de sauce de soja claire
2 cuil. à soupe de vin de riz chinois (ou de Xérès sec)
1 cuil. à café de sucre en poudre
2 cuil. à soupe de feuilles de coriandre fraîches grossièrement coupées

---

REMARQUE PRATIQUE

Les vermicelles de riz, très fins et friables, ressemblent à des cheveux blancs. Leur cuisson dans un liquide chaud est quasiment instantanée, à condition de les avoir préalablement trempés dans de l'eau chaude. Il est également possible de les frire. Les nouilles transparentes sont fabriquées à partir de graines de soja moulues. Leur aspect évoque un peu celui de la barbe à papa. Séchées, elles ont une couleur blanc opaque. Il suffit de les laisser tremper pour les voir gonfler et devenir translucides. Ces nouilles sont parfois appelées «fils de haricots» ou «nouilles cellophane». Il convient de les laisser tremper environ 5 minutes dans l'eau chaude avant la cuisson.

1 Détailler les carottes, les courgettes et les ciboules en julienne très fine. Équeuter les haricots verts avant de les couper de façon identique.

2 Couper les vermicelles de riz (ou les nouilles) en morceaux de 7 à 8 cm de long environ. Remplir un wok d'huile à mi-hauteur et l'amener à une température de 180 °C. Frire les nouilles par poignées, pendant 1 à 2 minutes, jusqu'à ce qu'elles gonflent et deviennent croustillantes. Égoutter sur du papier absorbant.

3 Ne garder que 2 cuillerées à soupe d'huile dans le wok et la réchauffer avant d'y faire revenir les haricots pendant 2 à 3 minutes.

4 Ajouter le gingembre, le piment rouge, les champignons, les carottes et les courgettes et laisser cuire 1 à 2 minutes. Incorporer ensuite le chou chinois, les germes de soja et les ciboules. Faites revenir 1 minute avant d'ajouter la sauce de soja, le vin de riz (ou le Xérès) et le sucre. Cuire 30 secondes tout en remuant.

5 Incorporer les nouilles et la coriandre, et bien remuer le tout, en prenant soin de ne pas trop écraser les nouilles. Disposer le tout sur un plat et servir.

Mee Krob

Cette délicieuse recette constitue un repas complet très nourrissant. Attention aux projections d'huile bouillante lorsque les vermicelles de riz y seront plongés.

INGRÉDIENTS

Pour 4 personnes

12 cl d'huile végétale
230 g de vermicelles de riz
150 g de haricots verts équeutés
   et coupés en deux dans la longueur
1 oignon finement haché
2 escalopes de poulet de 175 g chacune
   environ, coupées en lamelles
1 cuil. à café de poudre de piment
230 g de crevettes cuites
3 cuil. à soupe de sauce de soja brune
3 cuil. à soupe de vinaigre de vin blanc
2 cuil. à café de sucre en poudre
garniture : feuilles de coriandre fraîche

1 Chauffer un wok et y verser 4 cuillerées à soupe d'huile. Casser les vermicelles en longueurs de 7 à 8 cm. Lorsque l'huile sera chaude, frire les vermicelles par poignées. Sortir les vermicelles du wok et les réserver au chaud.

2 Chauffer le reste d'huile dans le wok pour y faire revenir les haricots verts, l'oignon et le poulet pendant 3 minutes, jusqu'à cuisson complète du poulet.

3 Verser la poudre de piment puis, tout en remuant, ajouter les crevettes, la sauce de soja, le vinaigre et le sucre. Laisser cuire encore 2 minutes.

4 Disposer le poulet, les crevettes et les légumes sur les vermicelles et garnir de feuilles de coriandre.

REMARQUE PRATIQUE

Il existe toutes sortes de poudres de piment et il est parfois difficile de s'y retrouver. Ne pas confondre les piments forts, séchés et simplement moulus, avec les mélanges composés de piments moulus et de différentes herbes et épices, tels que l'origan ou le cumin. Ces derniers conviennent mieux à la cuisine mexicaine qu'aux recettes asiatiques. Quoi qu'il en soit, le choix d'une poudre de piment « nature » s'impose quasiment de luimême, puisqu'il autorise ensuite tous les mélanges. Il est conseillé de lire attentivement la composition du produit, car certaines marques bon marché n'hésitent pas à rajouter des ingrédients destinés uniquement à « gonfler » artificiellement la quantité de poudre. Pour en fabriquer soi-même, il suffit de broyer au pilon des piments séchés dans un mortier. Dans ce cas, il est conseillé de porter des gants et de ne pas toucher ses yeux ou sa bouche.

Nouilles sautées de Singapour

Les petits gâteaux de poisson
thaïlandais ajoutent à cette recette
une délicieuse saveur épicée.
On peut les acheter tout prêts
dans des épiceries asiatiques
ou bien les fabriquer soi-même.

INGRÉDIENTS

Pour 4 personnes
175 g de nouilles de riz
4 cuil. à soupe d'huile végétale
1/2 cuil. à café de sel
75 g de crevettes cuites
175 g de porc cuit, découpé en allumettes
1 poivron vert évidé
  et coupé en allumettes
1/2 cuil. à café de sucre en poudre
2 cuil. à café de curry en poudre
75 g de gâteaux de poisson thaïlandais
2 cuil. à café de sauce de soja brune

1 Laisser tremper les nouilles dans de
l'eau pendant 10 minutes. Bien les
égoutter et les sécher avec du papier
absorbant.

2 Chauffer un wok avant d'y verser
la moitié de l'huile. Lorsqu'elle est
chaude, mettre les nouilles à revenir pendant 2 minutes en ajoutant la moitié du
sel. Les transférer ensuite sur un plat que
l'on réservera au chaud.

3 Chauffer le reste d'huile avant d'y
verser les crevettes, le porc, le poivron, le sucre, la poudre de curry et le sel
restant. Faire revenir, tout en remuant,
pendant 1 minute. Ajouter les nouilles
réservées au chaud, ainsi que les gâteaux
de poisson, et laisser cuire 2 minutes.
Arroser de sauce de soja et servir.

REMARQUE PRATIQUE

Les nouilles de riz, appelées *banh trang,* sont
fabriquées à partir de riz moulu et d'eau.
On les trouve sous différentes formes :
vermicelles ultra-fins, nouilles en rubans
larges, voire en feuilles entières. Elles sont
généralement séchées, conditionnées en
paquets très serrés, mais on peut également
les acheter fraîches.

Nouilles à la tomate et aux œufs frits

INGRÉDIENTS

Pour 4 personnes

350 g de nouilles séchées,
  d'épaisseur moyenne
4 cuil. à soupe d'huile végétale
2 gousses d'ail très finement hachées
4 échalotes hachées
1/2 cuil. à café de poudre de piment
1 cuil. à café de paprika
2 carottes coupées en petits dés
120 g de champignons de Paris
  coupés en quartiers
50 g de petits pois
1 cuil. à soupe de ketchup
2 cuil. à café de concentré de tomates
sel et poivre noir fraîchement moulu
beurre pour la cuisson
4 œufs

1 Cuire les nouilles dans une casserole d'eau bouillante jusqu'à ce qu'elles soient tout juste tendres. Égoutter et rincer à l'eau froide, puis égoutter de nouveau.

2 Faire chauffer l'huile dans un wok ou une grande poêle et y mettre l'ail, les échalotes, la poudre de piment et le paprika. Faire cuire pendant 1 minute en remuant, puis ajouter les dés de carottes, les champignons et les petits pois. Laisser revenir le tout jusqu'à cuisson complète des légumes.

3 Tout en remuant, incorporer le ketchup et le concentré de tomates. Ajouter les nouilles et cuire à feu moyen, jusqu'à ce qu'elles soient réchauffées et prennent un peu de la couleur du paprika et de la tomate.

4 Pendant ce temps, faire fondre du beurre dans une poêle et frire les œufs. Saler et poivrer la préparation aux nouilles, avant de la répartir sur 4 assiettes individuelles et de surmonter chacune d'un œuf.

Nouilles sautées au curry

Le tofu seul n'a quasiment aucun goût, mais il a la propriété de capter merveilleusement les saveurs qui l'accompagnent, en particulier celle du curry.

INGRÉDIENTS

Pour 4 personnes

4 cuil. à soupe d'huile végétale
2 à 3 cuil. à soupe de pâte de curry
230 g de tofu fumé coupé
  en dés de 2 à 3 cm de côté
230 g de haricots verts, coupés
  en morceaux de 3 cm environ
1 poivron rouge évidé et coupé
  en fines lanières
350 g de vermicelles de riz ramollis
  dans de l'eau chaude
1 cuil. à soupe de sauce de soja
sel et poivre noir fraîchement moulu
garniture : 2 ciboules coupées en fines
  rondelles, 2 piments rouges épépinés
  et hachés et 1 citron vert en quartiers

1 Chauffer la moitié de l'huile dans un wok ou une grande poêle. Faire revenir la pâte de curry pendant quelques minutes, puis ajouter les dés de tofu et les laisser dorer. Sortir le tofu du wok ou de la poêle à l'aide d'une écumoire et réserver.

2 Verser le reste d'huile dans le wok ou la poêle. Lorsqu'elle est chaude, mettre à revenir les haricots verts et le poivron rouge jusqu'à ce qu'ils soient cuits. Ajouter éventuellement un peu d'eau en cours de cuisson.

3 Égoutter les vermicelles avant de les verser sur les légumes. Laisser revenir jusqu'à ce que les vermicelles soient bien chauds, puis ajouter la préparation de tofu au curry. Saler, poivrer et arroser de sauce de soja selon son goût.

4 Transférer le mélange sur un plat. Garnir de piments et de rondelles de ciboule, et servir avec les quartiers de citron vert à part.

Nouilles de riz au bœuf et sauce de haricots noirs

Dans cette recette, le bœuf
à la sauce piquante et la
texture des nouilles de riz
se complètent admirablement.

INGRÉDIENTS

Pour 4 personnes
450 g de nouilles de riz fraîches
4 cuil. à soupe d'huile végétale
1 oignon coupé en fines tranches
2 gousses d'ail finement hachées
2 tranches de gingembre frais
   finement hachées
230 g de poivrons de couleurs différentes
   évidés et coupés en lamelles
350 g de rumsteck coupé en lamelles
3 cuil. à soupe de haricots noirs
   fermentés, rincés à l'eau chaude,
   égouttés et hachés
2 cuil. à soupe de sauce de soja
2 cuil. à soupe de sauce d'huître
1 cuil. à soupe de sauce de haricots noirs
   pimentée
1 cuil. à soupe de Maïzena
12 cl de bouillon (ou d'eau)
garniture : 2 ciboules finement hachées
   et 2 piments rouges épépinés
   et coupés en fines rondelles

1 Rincer les nouilles à l'eau chaude et
bien les égoutter. Chauffer la moitié
de l'huile dans un wok, en l'étalant régulièrement. Ajouter l'oignon, l'ail, le gingembre et les lamelles de poivrons. Faire
revenir 3 à 5 minutes, puis sortir le tout à
l'aide d'une écumoire. Réserver au chaud.

2 Verser le reste d'huile dans le wok.
Lorsqu'elle est chaude, mettre à sauter
les lamelles de bœuf et les haricots noirs
fermentés, pendant 5 minutes à grand feu,
jusqu'à cuisson complète.

3 Dans un bol, mélanger la sauce de
soja, la sauce d'huître et la sauce de
haricots noirs, avec la Maïzena et le bouillon (ou l'eau). Verser cette préparation
dans le wok. Incorporer le mélange d'oignons et de poivrons et laisser revenir
encore 1 minute.

4 Ajouter les nouilles et laisser cuire à
feu moyen en remuant doucement,
jusqu'à ce que les nouilles soient réchauffées. Saler et poivrer si nécessaire. Garnir
de ciboules hachées et de rondelles de piments, et servir rapidement.

Nouilles de sarrasin à la truite fumée

La texture légère et croquante du *bok choy* contrebalance la saveur terreuse des champignons et des nouilles de sarrasin, tout en compensant le goût fumé de la truite.

INGRÉDIENTS

Pour 4 personnes

350 g de nouilles de sarrasin
2 cuil. à soupe d'huile végétale
120 g de champignons parfumés
   coupés en quartiers
2 gousses d'ail finement hachées
1 cuil. à soupe de gingembre frais râpé
220 g de *bok choy*
1 ciboule coupée en fines rondelles
1 cuil. à soupe d'huile de sésame foncée
2 cuil. à soupe de mirin
2 cuil. à café de sauce de soja
2 filets de truite fumés sans la peau
sel et poivre noir fraîchement moulu
garniture : 2 cuil. à soupe de feuilles
   de coriandre et 2 cuil. à café de
   graines de sésame grillées

1 Cuire les nouilles de sarrasin dans une casserole d'eau bouillante pendant 7 à 10 minutes, jusqu'à ce qu'elles soient tendres.

2 Dans le même temps, chauffer l'huile dans un wok. Faire sauter les champignons à feu moyen pendant 3 minutes. Ajouter l'ail, le gingembre et le *bok choy*, et laisser revenir 2 minutes supplémentaires.

3 Égoutter les nouilles avant de les incorporer au contenu du wok. Ajouter la ciboule, l'huile de sésame, le mirin et la sauce de soja. Bien remuer, saler et poivrer.

4 Déchiqueter la truite fumée en grosses bouchées. Disposer le mélange à base de nouilles sur des assiettes individuelles. Les surmonter des morceaux de truite fumée.

5 Garnir chaque assiette de feuilles de coriandre et de graines de sésame avant de servir.

Nouilles sautées aux fruits de mer

INGRÉDIENTS

Pour 4 à 6 personnes

350 g de nouilles épaisses aux œufs
4 cuil. à soupe d'huile végétale
3 rondelles de gingembre frais râpées
2 gousses d'ail très finement hachées
230 g de moules (ou de clams)
230 g de crevettes crues décortiquées
230 g de calmars coupés en rondelles
120 g de gâteaux de poisson frits,
    coupés en tranches
1 poivron rouge épépiné
    et coupé en rondelles
50 g de pois gourmands équeutés
2 cuil. à soupe de sauce de soja
1/2 cuil. à café de sucre en poudre
12 cl de bouillon (ou d'eau)
1 cuil. à soupe de Maïzena
1 à 2 cuil. à café d'huile de sésame
sel et poivre noir fraîchement moulu
garniture : 2 ciboules coupées
    en morceaux et 2 piments rouges
    épépinés et coupés en rondelles

1 Cuire les nouilles dans une grande casserole d'eau bouillante jusqu'à ce qu'elles soient tout juste tendres. Rincer à l'eau froide et bien égoutter.

2 Chauffer l'huile dans un wok ou une grande poêle. Faire revenir l'ail et le gingembre 30 secondes. Ajouter les moules (ou les clams), les crevettes et les calmars et laisser cuire 4 à 5 minutes en remuant, jusqu'à ce que les fruits de mer changent de couleur. Ajouter les tranches de gâteaux de poisson, le poivron et les pois gourmands, et bien remuer.

3 Dans un saladier, mélanger la sauce de soja, le sucre, le bouillon (ou l'eau) et la Maïzena. Incorporer ce mélange aux fruits de mer et porter à ébullition. Ajouter les nouilles et laisser cuire jusqu'à ce qu'elles soient bien chaudes.

4 Arroser d'huile de sésame. Saler et poivrer selon son goût. Servir rapidement, garni de ciboules et de rondelles de piment rouge.

Nouilles et sauce piquante à la viande

INGRÉDIENTS

Pour 4 à 6 personnes

2 cuil. à soupe d'huile végétale
2 piments rouges séchés hachés
1 cuil. à café de gingembre frais râpé
2 gousses d'ail finement hachées
1 cuil. à soupe de pâte de haricots
    pimentée
450 g d'émincé de bœuf (ou de porc)
450 g de nouilles aux œufs, larges et plates
1 cuil. à soupe d'huile de sésame
garniture : 2 ciboules hachées

La sauce

1 pincée de sel
1 cuil. à café de sucre
1 cuil. à soupe de sauce de soja
1 cuil. à café de ketchup aux champignons
1 cuil. à soupe de Maïzena
25 cl de bouillon de volaille
1 cuil. à café de vin *shaohsing*
    (ou de Xérès sec)

1 Chauffer l'huile dans une grande casserole. Mettre à revenir les piments séchés, le gingembre et l'ail, jusqu'au changement de couleur de l'ail, puis incorporer progressivement la pâte de haricots pimentée.

2 Ajouter l'émincé de bœuf ou de porc, en séparant les morceaux à l'aide d'une spatule ou d'une cuillère en bois. Cuire à grand feu jusqu'à ce que la viande change de couleur et que tout le liquide se soit évaporé.

3 Mélanger tous les ingrédients de la sauce dans un pichet. Creuser un puits au centre de la préparation à la viande et y verser la sauce en mélangeant. Laisser mijoter 10 à 15 minutes, jusqu'à ce que la viande soit tendre.

4 Pendant ce temps, cuire les nouilles dans une grande casserole d'eau bouillante pendant 5 à 7 minutes, afin de les attendrir. Bien les égoutter et les faire sauter en les aspergeant d'huile de sésame. Servir avec la sauce à la viande, garnie de ciboules.

Nouilles aux boulettes de viande

Le *mie rebus* est un repas complet très populaire en Asie, servi en restauration rapide.

INGRÉDIENTS

Pour 6 personnes

450 g de préparation pour boulettes de viande épicées
350 g de nouilles aux œufs séchées
3 cuil. à soupe d'huile de tournesol
1 gros oignon coupé en fines rondelles
2 gousses d'ail écrasées
1 racine de gingembre frais de 2 à 3 cm de long, épluchée et coupée en allumettes
1,2 l de bouillon
2 cuil. à soupe de sauce de soja brune
2 branches de céleri coupées en petits morceaux, en réservant les feuilles
6 feuilles de chou chinois en morceaux
1 poignée de haricots mange-tout (ou de cocos plats) coupés en lanières
sel et poivre noir fraîchement moulu

1 Façonner des boulettes de viande d'assez petite taille et réserver.

2 Plonger les nouilles dans une grande casserole d'eau bouillante et remuer afin qu'elles n'attachent pas au fond. Laisser mijoter 3 à 4 minutes, jusqu'à ce qu'elles soient tendres. Égoutter dans une passoire et rincer abondamment à l'eau froide. Réserver.

3 Chauffer l'huile dans une casserole et faire revenir l'oignon, l'ail et le gingembre, sans les laisser brunir. Verser le bouillon, la sauce de soja, et porter à ébullition.

4 Ajouter les boulettes de viande. Recouvrir à moitié et laisser mijoter jusqu'à ce qu'elles soient cuites, soit 5 à 8 minutes. Ajouter le céleri et, au bout de 2 minutes, les haricots mange-tout (ou les cocos) et les feuilles de chou chinois. Saler et poivrer.

5 Répartir les nouilles, les boulettes et les légumes dans des bols à soupe, puis recouvrir de soupe. Garnir avec les feuilles de céleri réservées.

Nouilles de riz sautées au poulet et aux crevettes

Les crustacés s'harmonisent très bien avec la viande et la volaille. Cette recette le prouve en associant poulet et crevettes, pour lui donner une saveur aigre-douce très caractéristique.

INGRÉDIENTS

Pour 4 personnes

230 g de nouilles de riz plates séchées
12 cl d'eau
4 cuil. à soupe de sauce de poisson
1 cuil. à soupe de sucre en poudre
1 cuil. à soupe de jus de citron vert
1 cuil. à café de paprika
1 pincée de poivre de Cayenne
3 cuil. à soupe d'huile
2 gousses d'ail finement hachées
1 escalope de poulet, sans peau,
    coupée en fines tranches
8 crevettes crues décortiquées
    et coupées en deux
1 œuf
50 g de cacahuètes grillées
    grossièrement hachées
3 ciboules coupées en petits morceaux
175 g de germes de soja
garniture : feuilles de coriandre et
    1 citron vert non traité en quartiers

1 Dans un grand saladier rempli d'eau chaude, laisser tremper les nouilles de riz pendant 30 minutes pour les ramollir. Égoutter.

2 Dans un bol, mélanger l'eau, la sauce de poisson, le sucre, le jus de citron vert, le paprika et le poivre. Réserver.

3 Chauffer l'huile dans un wok. Faire dorer l'ail pendant 30 secondes avant d'ajouter le poulet et les crevettes. Laisser revenir 3 à 4 minutes, jusqu'à cuisson complète.

4 Pousser ces ingrédients vers les bords du wok et casser l'œuf au centre. Remuer rapidement pour briser le jaune, et laisser cuire à feu moyen jusqu'à ce que l'œuf soit légèrement brouillé.

5 Ajouter les nouilles égouttées et le mélange à base de sauce de poisson. Bien mélanger. Incorporer la moitié des cacahuètes hachées et laisser cuire, tout en remuant, jusqu'à ce que les nouilles aient ramolli et que le liquide se soit presque entièrement évaporé.

6 Ajouter les ciboules et la moitié des germes de soja. Cuire 1 minute en remuant. Disposer le tout sur un plat et garnir avec le reste de cacahuètes et de germes de soja, la coriandre et le citron.

Nouilles sautées à la thaïlandaise

Le *phat thai,* considéré comme
l'une des recettes nationales de
la Thaïlande, présente une saveur
et une texture inoubliables.

INGRÉDIENTS

Pour 4 à 6 personnes
350 g de nouilles de riz
3 cuil. à soupe d'huile végétale
1 cuil. à soupe d'ail haché
16 grosses crevettes crues décortiquées,
    avec la queue gardée intacte
2 œufs légèrement battus
1 cuil. à soupe de petites crevettes
    séchées et rincées
2 cuil. à soupe de condiment de radis blanc
50 g de tofu frit coupé en petits morceaux
1/2 cuil. à café de piment séché
    finement haché
120 g de civette coupée
    en morceaux de 5 cm
230 g de germes de soja
50 g de cacahuètes grillées
    grossièrement hachées
1 cuil. à café de sucre en poudre
1 cuil. à soupe de sauce de soja brune
2 cuil. à soupe de sauce de poisson
2 cuil. à soupe de jus de tamarin
garniture : 2 cuil. à soupe de feuilles
    de coriandre et 1 lime de Cafre

1 Tremper les nouilles dans de l'eau
chaude pendant 20 à 30 minutes et les
égoutter.

2 Chauffer 1 cuillerée à soupe d'huile
dans un wok ou une grande poêle et
mettre à dorer l'ail. Ajouter les grosses
crevettes et laisser revenir 1 à 2 minutes,
jusqu'à ce qu'elles deviennent roses, en les
faisant sauter de temps en temps. Réserver.

3 Chauffer encore 1 cuillerée à soupe
d'huile dans le wok. Ajouter les œufs
en les étalant bien, pour former une fine
pellicule. Remuer jusqu'à obtenir des
œufs brouillés, cassés en petits morceaux.
Réserver avec les crevettes.

4 Chauffer le reste d'huile dans le même wok et y verser les petites crevettes séchées, le condiment de radis, le tofu
et le piment séché. Ajouter ensuite les
nouilles et faire revenir 5 minutes.

5 Incorporer la civette, ainsi que la moitié des germes de soja et des cacahuètes. Assaisonner avec le sucre, les sauces
de soja et de poisson et le jus de tamarin.
Mélanger et cuire jusqu'à ce que les nouilles
soient bien chaudes.

6 Verser les crevettes et les œufs réservés
et mélanger avec les nouilles. Garnir du
reste des germes de soja et des cacahuètes,
des feuilles de coriandre et de la lime.

Bamie Goreng

Ce plat de nouilles sautées se marie très bien avec toutes sortes d'ingrédients. Vous pouvez lui ajouter différents légumes, tels que brocolis, poireaux, champignons ou germes de soja. À l'instar des plats de riz sauté, le bamie goreng vous permettra de faire jouer votre imagination, à condition de ne jamais perdre de vue l'indispensable équilibre entre les saveurs, les textures… et les couleurs.

INGRÉDIENTS

Pour 6 à 8 personnes

450 g de nouilles aux œufs séchées
1 escalope de poulet sans peau
120 g de filet de porc
120 g de foie de veau (facultatif)
2 œufs battus
6 cuil. à soupe d'huile
25 g de beurre (ou de margarine)
2 gousses d'ail écrasées
120 g de crevettes cuites décortiquées
120 g d'épinards (ou de chou chinois)
2 branches de céleri en petits morceaux
4 ciboules coupées en lanières
4 cuil. à soupe de bouillon de volaille
sauce de soja brune et sauce de soja claire
sel et poivre noir fraîchement moulu
garniture : rondelles d'oignon frites
   (voir p. 175) et feuilles de céleri
accompagnement (facultatif) : salade
   de fruits et légumes aigres-doux

2 Couper le poulet, le porc (et le foie de veau, éventuellement) en fines tranches.

4 Chauffer le reste d'huile dans un wok et faire revenir l'ail avec le poulet, le porc et le foie pendant 2 à 3 minutes, jusqu'à ce qu'ils changent de couleur. Ajouter les crevettes, les épinards (ou le chou chinois), le céleri et les ciboules. Bien remuer.

5 Ajouter les nouilles et mélanger tous les ingrédients. Arroser de bouillon de volaille pour que le mélange soit bien humide, et assaisonner de sauce de soja claire et de sauce de soja brune selon son goût. Incorporer ensuite les œufs brouillés. Saler et poivrer.

1 Cuire les nouilles dans de l'eau bouillante salée pendant 3 à 4 minutes. Égoutter, rincer à l'eau froide et égoutter de nouveau. Réserver.

3 Saler et poivrer les œufs. Faire fondre le beurre (ou la margarine) avec 1 cuillerée à café d'huile dans une petite poêle, et cuire les œufs, tout en remuant. Réserver les œufs brouillés obtenus.

6 Garnir de rondelles d'oignon frites et de feuilles de céleri. Servir éventuellement accompagné d'une salade de fruits et légumes aigres-doux.

Nouilles somen aux courgettes

Une recette colorée et riche en saveurs. Il est possible de remplacer les courgettes par du potiron.

INGRÉDIENTS

Pour 4 personnes

2 courgettes jaunes
2 courgettes vertes
3 cuil. à soupe de pignons de pin
4 cuil. à soupe d'huile d'olive vierge
2 échalotes finement hachées
2 gousses d'ail finement hachées
2 cuil. à soupe de câpres rincées
4 tomates séchées à l'huile, en bocal
   ou en boîte, égouttées et coupées
   en lamelles
300 g de nouilles somen
4 cuil. à soupe d'un mélange d'herbes
   hachées (ciboulette, thym et estragon,
   par exemple)
1 zeste de citron non traité râpé
50 g de parmesan très finement râpé
sel et poivre noir fraîchement moulu

1 Couper les courgettes en diagonale, pour obtenir des rondelles de la même épaisseur que les nouilles. Couper ensuite les rondelles en allumettes. Faire dorer les pignons de pin à feu moyen dans une poêle, sans matière grasse.

2 Chauffer la moitié de l'huile dans un wok ou une grande poêle. Mettre à revenir les échalotes et l'ail jusqu'à ce qu'ils libèrent leur arôme. Les pousser sur le côté pour verser le reste d'huile et faire revenir les courgettes.

3 Bien remuer pour enduire les courgettes d'ail et d'échalote, puis ajouter les câpres, les tomates séchées et les pignons de pin. Retirer du feu.

4 Cuire les nouilles dans une grande casserole d'eau bouillante salée, pour les attendrir (suivant le temps de cuisson indiqué sur le sachet). Bien égoutter et mélanger aux courgettes en incorporant les herbes, le zeste de citron et le parmesan. Saler, poivrer et servir rapidement.

Nouilles primavera

INGRÉDIENTS

Pour 4 personnes

230 g de nouilles de riz séchées
120 g de bouquets de brocolis
1 carotte coupée en fines tranches
230 g d'asperges coupées
   en morceaux de 5 cm
1 poivron rouge ou jaune évidé
   et coupé en lamelles
50 g de mini-épis de maïs doux
50 g de pois gourmands équeutés
3 cuil. à soupe d'huile d'olive
1 cuil. à soupe de gingembre frais haché
2 gousses d'ail hachées
2 ciboules finement hachées
450 g de tomates hachées
1 poignée de feuilles de roquette
sauce de soja, à discrétion
sel et poivre noir fraîchement moulu

1 Attendrir les nouilles dans de l'eau chaude pendant 30 minutes environ.

2 Blanchir séparément les bouquets de brocolis, la carotte, les asperges, les lamelles de poivron, les mini-épis de maïs et les pois gourmands, dans de l'eau bouillante salée. À chaque fois, égoutter et rincer à l'eau froide, puis égoutter de nouveau et réserver.

3 Chauffer l'huile d'olive dans une poêle. Faire revenir le gingembre, l'ail et la ciboule 30 secondes, puis ajouter les tomates. Laisser cuire encore 2 à 3 minutes.

4 Ajouter les nouilles et laisser revenir 3 minutes. Incorporer les légumes et la roquette, et bien mélanger. Assaisonner avec la sauce de soja. Saler, poivrer et cuire jusqu'à ce que les légumes soient tendres.

Nouilles aux œufs et sauce tomate au thon

Voici une façon simple et rapide de composer un plat succulent à partir d'ingrédients très faciles à réunir.

INGRÉDIENTS

Pour 4 personnes

3 cuil. à soupe d'huile d'olive
2 gousses d'ail finement hachées
2 piments rouges séchés, épépinés
    et hachés
1 gros oignon rouge très finement coupé
175 g de thon au naturel, en boîte, égoutté
120 g d'olives noires dénoyautées
400 g de tomates en boîte, hachées
    ou réduites en purée
2 cuil. à soupe de persil haché
350 g de nouilles aux œufs
    d'épaisseur moyenne
sel et poivre noir fraîchement moulu

1 Chauffer l'huile dans un wok. Faire revenir quelques secondes l'ail et les piments séchés avant d'ajouter l'oignon. Laisser cuire 5 minutes environ, tout en remuant, jusqu'à ce que l'oignon ait ramolli.

2 Ajouter le thon et les olives noires, et bien mélanger. Tout en remuant, incorporer les tomates et leur jus. Porter à ébullition. Saler, poivrer et saupoudrer de persil. Réduire le feu et laisser mijoter doucement.

3 Pendant ce temps, cuire les nouilles dans de l'eau bouillante jusqu'à ce qu'elles soient tendres, suivant le temps de cuisson indiqué sur le sachet. Bien égoutter. Mélanger les nouilles avec la sauce et servir.

Nouilles sautées aux champignons sauvages

Cette recette sera d'autant plus intéressante qu'on aura réussi à multiplier les sortes de champignons sauvages qui entrent dans sa composition. À défaut de champignons sauvages, on se contentera d'autres variétés.

INGRÉDIENTS

Pour 4 personnes

350 g de nouilles aux œufs plates
3 cuil. à soupe d'huile végétale
120 g de lardons sans la couenne
230 g de champignons sauvages,
    taillés et coupés en deux
120 g de civette coupée en morceaux
230 g de germes de soja
1 cuil. à soupe de sauce d'huître
1 cuil. à soupe de sauce de soja
sel et poivre noir fraîchement moulu

1 Attendrir les nouilles dans une grande casserole d'eau bouillante pendant 3 à 4 minutes. Égoutter, rincer à l'eau froide et bien égoutter une seconde fois.

2 Chauffer 1 cuillerée à soupe d'huile dans un wok. Faire revenir les lardons jusqu'à ce qu'ils soient bien dorés.

3 Sortir les lardons à l'aide d'une écumoire et les réserver dans un bol.

4 Verser le reste de l'huile dans le wok. Laisser réchauffer avant de faire revenir les champignons pendant 3 minutes. Incorporer la civette et les germes de soja. Laisser cuire 3 minutes avant d'ajouter les nouilles.

5 Assaisonner avec la sauce de soja, la sauce d'huître, du sel et du poivre. Laisser revenir jusqu'à ce que les nouilles soient bien cuites. Garnir de lardons croustillants et servir.

Nouilles aux tomates séchées et aux crevettes

INGRÉDIENTS

Pour 4 personnes

350 g de nouilles somen
3 cuil. à soupe d'huile d'olive
20 grosses crevettes crues décortiquées
2 gousses d'ail finement hachées
3 à 4 cuil. à soupe de pâte
  de tomates séchées
sel et poivre noir fraîchement moulu
garniture : 1 poignée de feuilles de basilic
  et 2 cuil. à soupe de tomates séchées à
  l'huile, égouttées et coupées en lamelles

— SUGGESTION DU CHEF —

Vous trouverez facilement de la pâte de tomates séchées toute prête, mais vous pourrez aussi en fabriquer vous-même en mixant simplement des tomates séchées en bocal avec leur huile. Ajoutez éventuellement quelques câpres ou filets d'anchois.

---

1 Attendrir les nouilles dans une grande casserole d'eau bouillante. Se conformer au temps de cuisson indiqué sur le sachet. Égoutter.

2 Chauffer la moitié de l'huile dans un wok. Faire revenir les crevettes avec l'ail pendant 3 à 5 minutes à feu moyen, jusqu'à ce qu'elles soient devenues roses et fermes au toucher.

3 Incorporer 1 cuillerée à soupe de pâte de tomates séchées et bien mélanger. Transférer les crevettes dans un saladier à l'aide d'une écumoire et réserver.

4 Réchauffer l'huile restée dans le wok et compléter avec l'huile et la pâte de tomates restantes. Bien remuer et verser un peu d'eau si le mélange est trop épais.

5 Lorsque le mélange commence à grésiller, ajouter les nouilles. Saler et poivrer. Bien remuer.

6 Incorporer les crevettes réservées et faire sauter le tout pour bien mélanger. Garnir de feuilles de basilic et de lamelles de tomates séchées. Servir rapidement.

Nouilles de riz garnies

Une succulente recette de nouilles rehaussée par de l'avocat et une garniture de crevettes.

INGRÉDIENTS

Pour 4 personnes

1 cuil. à soupe d'huile de tournesol
1 racine de gingembre fraîche de 2 à
   3 cm de long, épluchée et râpée
2 gousses d'ail écrasées
3 cuil. à soupe de sauce de soja brune
230 g de petits pois (frais, ou surgelés
   et décongelés)
450 g de nouilles de riz
450 g d'épinards sans les branches
2 cuil. à soupe de beurre de cacahuètes
2 cuil. à soupe de tahini
15 cl de lait
1 avocat mûr épluché et dénoyauté
garniture : cacahuètes grillées
   et crevettes cuites décortiquées

1 Chauffer l'huile dans un wok préchauffé. Faire revenir le gingembre et l'ail pendant 30 secondes. Verser 1 cuillerée à soupe de sauce de soja et 15 cl de lait.

— SUGGESTION DU CHEF —

N'épluchez pas, ni ne dénoyautez ou découpez l'avocat trop tôt, car sa chair se noircit rapidement. Quelques gouttes de citron vous permettront néanmoins d'éviter cela.

2 Ajouter les petits pois et les nouilles et cuire 3 minutes. Remuer en incorporant les épinards. Sortir les légumes et les nouilles, et les égoutter. Réserver au chaud.

3 Mettre dans le wok le beurre de cacahuètes, le reste de sauce de soja, le tahini et le lait. Remuer et laisser mijoter 1 minute.

4 Réintégrer les légumes et les nouilles. Découper l'avocat et l'ajouter immédiatement au mélange. Bien remuer. Servir sur des assiettes individuelles. Verser un peu de sauce sur chaque portion, et garnir de cacahuètes grillées et de crevettes avant de servir.

Nouilles aux asperges à la sauce au safran

Une recette estivale agréablement parfumée par la crème au safran.

INGRÉDIENTS

Pour 4 personnes
450 g de jeunes asperges
1 pincée de safran
25 g de beurre
2 échalotes finement hachées
2 cuil. à soupe de vin blanc
25 cl de crème fraîche épaisse
zeste et jus de 1/2 citron non traité
120 g de petits pois
350 g de nouilles somen
1/2 botte de cerfeuil grossièrement haché
sel et poivre noir fraîchement moulu
parmesan râpé (facultatif)

1 Couper les pointes d'asperges, puis détailler le reste en petites rondelles. Mettre le safran à tremper dans une tasse d'eau bouillante.

2 Faire fondre le beurre dans une casserole. Ajouter les échalotes et les laisser revenir à feu doux, pendant 3 minutes, pour les ramollir. Arroser du vin blanc, de la crème fraîche et de l'infusion de safran. Porter à ébullition, puis réduire le feu et laisser mijoter 5 minutes, le temps que la sauce épaississe. Incorporer le zeste et le jus de citron. Saler et poivrer selon son goût.

3 Faire bouillir une grande casserole d'eau légèrement salée. Blanchir les pointes d'asperges, puis les sortir à l'aide d'une écumoire et les ajouter à la sauce. Attendrir les petits pois et les rondelles d'asperges dans la même eau bouillante. Les égoutter et les mettre dans la sauce.

4 Dans l'eau encore bouillante, attendrir les nouilles somen en se conformant au temps de cuisson indiqué sur le sachet. Égoutter et disposer les nouilles sur un grand plat. Arroser de sauce.

5 Remuer les nouilles avec la sauce et les légumes. Parsemer de cerfeuil. Saler et poivrer si nécessaire. Saupoudrer éventuellement de parmesan et servir bien chaud.

Nouilles sautées aux germes de soja et aux asperges

La texture des nouilles sautées contraste avec le croquant des asperges et des germes de soja.

INGRÉDIENTS

Pour 4 personnes
120 g de nouilles aux œufs séchées
4 cuil. à soupe d'huile végétale
1 petit oignon haché
1 racine de gingembre fraîche de 2 à
   3 cm de long, épluchée et râpée
2 gousses d'ail écrasées
175 g de pointes de jeunes asperges taillées
120 g de germes de soja
4 ciboules coupées en petits morceaux
3 cuil. à soupe de sauce de soja
sel et poivre noir fraîchement moulu

1 Plonger les nouilles dans une casserole d'eau bouillante salée et laisser cuire 2 à 3 minutes, pour les attendrir. Les égoutter et les faire sauter dans 2 cuillerées à soupe d'huile.

2 Chauffer le reste d'huile dans un wok préchauffé. Lorsqu'elle est chaude, mettre à revenir l'oignon, le gingembre et l'ail pendant 2 à 3 minutes. Ajouter les asperges et faire sauter encore 2 à 3 minutes.

3 Incorporer les nouilles et les germes de soja aux asperges et laisser cuire le tout 2 minutes supplémentaires.

4 Tout en remuant, ajouter les ciboules et la sauce de soja. Assaisonner selon son goût, sans trop de sel car la sauce de soja apporte déjà une note salée. Faire revenir encore 1 minute et servir rapidement.

Nouilles au gingembre et à la coriandre

Ce plat de nouilles accompagne très bien la plupart des plats asiatiques. Il peut aussi constituer un en-cas pour 2 ou 3 personnes.

INGRÉDIENTS

Pour 4 à 6 personnes

1 poignée de branches de coriandre fraîches
230 g de nouilles aux œufs séchées
3 cuil. à soupe d'huile d'arachide
1 racine de gingembre fraîche de 5 cm de long, coupée en fines lanières
6 à 8 ciboules coupées en lanières
2 cuil. à soupe de sauce de soja claire
sel et poivre noir fraîchement moulu

—— REMARQUE PRATIQUE ——

Les nouilles aux œufs séchées se présentent généralement par couches empilées, vendues en sachet. Une couche correspond à peu près à 1 portion, en plat principal.

1 Détacher les feuilles des branches de coriandre et les hacher grossièrement, à l'aide d'un couperet, sur une planche à découper.

2 Cuire les nouilles selon le temps de cuisson indiqué sur le sachet. Rincer à l'eau froide et bien égoutter. Arroser de 1 cuillerée à soupe d'huile et remuer.

3 Chauffer un wok puis y verser l'huile restante, en l'étalant régulièrement. Faire revenir le gingembre quelques secondes, puis ajouter les nouilles et les ciboules. Laisser sauter 3 à 4 minutes, jusqu'à cuisson complète.

4 Asperger de sauce de soja. Garnir de feuilles de coriandre hachées. Saler, poivrer et bien remuer avant de servir.

Tofu sauté aux germes de soja et aux nouilles

Un plat très consistant, à la fois savoureux et facile à préparer.

INGRÉDIENTS

Pour 4 personnes

230 g de tofu bien ferme
huile d'arachide pour friture
175 g de nouilles aux œufs de taille
    moyenne
1 cuil. à soupe d'huile de sésame
1 cuil. à café de Maïzena
2 cuil. à soupe de sauce de soja brune
2 cuil. à soupe de vin de riz chinois
    (ou de Xérès sec)
1 cuil. à café de sucre en poudre
6 à 8 ciboules coupées en diagonale
    en morceaux de 3 cm environ
3 gousses d'ail hachées
1 piment vert frais épépiné et coupé
    en rondelles
120 g de feuilles de chou chinois
    coupées en lanières
50 g de germes de soja
garniture : 50 g de noix de cajou grillées

1 Égoutter le tofu et le sécher avec du papier absorbant. Le couper ensuite en dés de 2 à 3 cm de côté. Remplir un wok à mi-hauteur d'huile d'arachide et porter à une température de 180 °C. Frire le tofu par poignées pendant 1 à 2 minutes, jusqu'à ce qu'il soit doré et croustillant. Égoutter sur du papier absorbant. Vider le wok pour n'y laisser que 2 cuillerées à soupe d'huile.

2 Cuire les nouilles en suivant les indications du sachet. Les rincer ensuite à l'eau froide et bien les égoutter. Arroser de 2 cuillerées à café d'huile de sésame en remuant bien et réserver. Mélanger dans un bol la Maïzena avec la sauce de soja, le vin de riz (ou le Xérès), le sucre et le reste d'huile de sésame.

3 Réchauffer l'huile d'arachide restée dans le wok, puis mettre à revenir les ciboules, l'ail, le piment, le chou chinois et les germes de soja pendant 1 à 2 minutes.

4 Ajouter les nouilles, le tofu et la sauce. Laisser cuire 1 minute environ, tout en remuant, jusqu'à ce que les ingrédients soient bien mélangés. Garnir de noix de cajou et servir rapidement.

Les Plats
de Riz

Le riz n'est pas seulement l'un des
aliments de base de la planète, il en est
également l'un des plus appréciés. Que
serait un garde-manger sans l'ingrédient
principal de tant de recettes, certaines
s'improvisant en quelques instants ?
Avoir toujours du riz à portée de
la main permet de préparer rapidement
un plat d'accompagnement et peut
devenir le point de départ d'un repas
complet. Le riz autorise toutes sortes
d'associations d'ingrédients, d'herbes
et d'épices pour créer un éventail
extraordinaire de goûts et de saveurs.
N'oublions pas qu'il existe différentes
variétés de riz, chacune possédant une
saveur et une texture propre, permettant
de rehausser la plupart des repas.

Riz aux graines et aux épices

Cette préparation nous change du riz bouilli et offre un accompagnement coloré aux curries et aux viandes grillées.

INGRÉDIENTS

Pour 4 personnes

1 cuil. à café d'huile de tournesol
1/2 cuil. à café de curcuma moulu
6 gousses de cardamome
    légèrement écrasées
1 cuil. à café de graines de coriandre
    légèrement écrasées
1 gousse d'ail écrasée
200 g de riz basmati
40 cl de bouillon
120 g de yaourt nature
1 cuil. à soupe de graines de tournesol
    grillées
1 cuil. à soupe de graines de sésame grillées
sel et poivre noir fraîchement moulu
garniture : feuilles de coriandre

1 Chauffer l'huile dans un wok ou une poêle antiadhésive et faire revenir les épices et l'ail pendant 1 minute, sans cesser de remuer.

2 Ajouter le riz et le bouillon et porter à ébullition. Couvrir et laisser mijoter pendant 15 minutes, jusqu'à ce que le riz soit tendre.

3 Tout en remuant, incorporer le yaourt, ainsi que les graines de sésame et de tournesol grillées. Saler, poivrer et servir chaud, garni de feuilles de coriandre.

Nasi Goreng

Voici l'un des plats indonésiens
les plus connus. Il donne
l'occasion de réutiliser les restes
de riz, de volaille et de viande
(notamment le porc). Le riz
doit être froid et ses grains bien
séparés avant d'ajouter les autres
ingrédients. Pour cette raison,
on le cuira de préférence la veille.

INGRÉDIENTS

Pour 4 à 6 personnes

350 g (poids sec) de riz long grain
   tel que le riz basmati (le riz est cuit
   et laissé à refroidir)
2 œufs
2 cuil. à soupe d'eau
7 cuil. à soupe d'huile
230 g d'escalope de porc (ou de filet
   de bœuf)
120 g de crevettes cuites décortiquées
200 à 230 g de blanc de poulet cuit
   et coupé en morceau
2 ou 3 piments rouges frais, épépinés
   et coupés en rondelles
1,5 cm de *terasi* en cube
2 gousses d'ail écrasées
1 oignon coupé en morceaux
2 cuil. à soupe de sauce de soja brune
   (ou 3 à 4 cuil. à soupe de ketchup)
sel et poivre noir fraîchement moulu
garniture : feuilles de céleri,
   rondelles d'oignon frites *(voir p. 175)*
   et feuilles de coriandre

2 Battre les œufs avec l'eau, du sel et du
poivre et les faire cuire en 2 ou 3 omelettes, dans une poêle, avec très peu d'huile.
Rouler chaque omelette pour la couper
en lanières. Réserver.

3 Trancher le porc (ou le bœuf) en
lamelles. Mettre la viande, les crevettes
et le blanc de poulet dans des saladiers
séparés. Couper 1 piment en lanières et le
réserver pour la garniture.

5 Faire revenir la pâte obtenue dans
l'huile restante, sans la laisser brunir,
et jusqu'à ce qu'elle libère ses arômes.
Ajouter le porc ou le bœuf, en le faisant
sauter pour l'enduire entièrement. Laisser
cuire 2 minutes sans cesser de remuer, puis
ajouter les crevettes. Laisser cuire encore
2 minutes avant d'incorporer le riz froid,
le poulet, la sauce de soja (ou le ketchup),
du sel et du poivre. Remuer constamment
pour empêcher le riz de coller.

1 Lorsque le riz est cuit et totalement
refroidi, bien séparer les grains à l'aide
d'une fourchette. Réserver dans une casserole couverte.

4 Mixer le *terasi,* l'ail, l'oignon et le
reste de piments en une pâte fine, ou
les broyer dans un mortier.

6 Servir dans un plat chaud, garni de
lanières d'omelette, de feuilles de céleri, de rondelles d'oignon frites, de feuilles
de coriandre et de lanières de piment.

Riz sauté à la thaïlandaise

Ce plat piquant est très facile à préparer et constitue à lui seul un repas complet.

INGRÉDIENTS

Pour 4 personnes

230 g de riz thaïlandais parfumé
3 cuil. à soupe d'huile végétale
1 oignon haché
1 petit poivron rouge évidé et coupé
   en dés de 2 cm de côté
350 g d'escalopes de poulet, sans peau,
   coupées en dés de 2 cm de côté
1 gousse d'ail écrasée
1 cuil. de pâte de curry doux
1/2 cuil. à café de paprika
1/2 cuil. à café de curcuma moulu
2 cuil. à soupe de sauce de poisson
   thaïlandaise *(nam pla)*
2 œufs battus
sel et poivre noir fraîchement moulu
garniture : feuilles de basilic sautées
   à la poêle

1 Verser le riz dans une grande passoire (ou un «chinois») et bien le laver à l'eau froide. Le transférer ensuite dans une casserole à fond très épais et le recouvrir de 1,5 litre d'eau bouillante. Une fois l'eau revenue à ébullition, laisser mijoter, sans couvrir, pendant 8 à 10 minutes. Bien égoutter le riz. Verser en pluie les grains de riz sur un grand plateau et laisser refroidir.

2 Chauffer un wok et y verser 2 cuillerées à soupe d'huile en l'étalant régulièrement. Faire revenir l'oignon et le poivron rouge pendant 1 minute.

3 Ajouter les dés de poulet, l'ail, la pâte de curry et les épices. Laisser cuire le tout pendant 2 à 3 minutes.

4 Réduire le feu, puis ajouter le riz refroidi, ainsi que la sauce de poisson. Saler, poivrer et faire revenir à feu moyen jusqu'à ce que le riz soit très chaud.

5 Creuser un puits au centre du riz pour y verser l'huile restante. Lorsqu'elle est chaude, ajouter les œufs battus et laisser cuire 2 minutes avant de remuer pour les incorporer au riz.

6 Décorer de feuilles de basilic sautées et servir rapidement.

--- REMARQUE PRATIQUE ---

De toutes les variétés de riz connues, le riz parfumé thaïlandais est certainement l'une des plus populaires, notamment dans les recettes thaïlandaises, vietnamiennes et certaines préparations du Sud-Est asiatique. Son parfum très particulier en fait l'accompagnement idéal des repas de fête.

Riz chinois aux cinq ornements

Ce plat de riz, aux ingrédients variés et colorés, peut faire un repas complet.

INGRÉDIENTS

Pour 4 personnes

350 g de riz long grain
3 cuil. à soupe d'huile végétale
1 oignon grossièrement haché
120 g de jambon cuit coupé en dés
175 g de crabe blanc en boîte
75 g de châtaignes d'eau en boîte, égouttées et coupées en dés
4 champignons noirs chinois, égouttés et coupés en dés
120 g de petits pois (frais, ou surgelés et décongelés)
2 cuil. à soupe de sauce d'huître
1 cuil. à café de sucre en poudre
sel

1 Rincer le riz et le cuire pendant 10 à 12 minutes dans 70 à 90 cl d'eau bouillante salée. (Choisir une casserole munie d'un couvercle.) Rafraîchir le riz à l'eau froide lorsqu'il est cuit. Chauffer 1 cuillerée à soupe d'huile dans un wok préchauffé et y faire revenir le riz pendant 3 minutes. Sortir le riz et réserver.

2 Verser l'huile restante dans le wok. Lorsqu'elle est chaude, mettre à revenir l'oignon, mais sans le dorer.

3 Ajouter tous les autres ingrédients et laisser sauter 2 minutes.

4 Remettre le riz dans le wok et mélanger aux autres ingrédients. Laisser revenir, tout en remuant, pendant 3 minutes. Servir bien chaud.

Riz sauté à l'indonésienne

Ce plat de riz sauté peut être
servi en plat principal ou
en accompagnement.

INGRÉDIENTS

Pour 4 à 6 personnes
4 échalotes grossièrement hachées
1 piment rouge frais épépiné et haché
1 gousse d'ail hachée
petits éclats de pâte de crevettes séchées
3 cuil. à soupe d'huile végétale
230 g d'escalope de porc
    coupée en fines lamelles
180 g de riz blanc long grain, bouilli
    et laissé à refroidir
3 ou 4 ciboules coupées en
    petites rondelles
120 g de crevettes cuites décortiquées
2 cuil. à soupe de sauce de soja sucrée
    (kecap manis)
garniture : coriandre fraîche hachée
    et fines lanières de concombre

1 Dans un mortier, piler ensemble l'ail,
les échalotes, le piment et la pâte
de crevettes jusqu'à obtenir une pâte.
Réserver.

REMARQUE PRATIQUE

La pâte de crevettes, qu'on appelle parfois
pâte de crevettes séchées, est fabriquée à
partir de crevettes fermentées, ce qui lui
confère un arôme particulier et une odeur
prenante. Les cuisines asiatiques en font
grand usage. Ne l'employez qu'en très
petites quantités à la fois.

---

2 Chauffer un wok et y verser 2 cuillerées à soupe d'huile en l'étalant
uniformément. Faire revenir le porc 2 à
3 minutes, puis le sortir et le réserver
au chaud.

3 Verser l'huile restante dans le wok.
Lorsqu'elle est suffisamment chaude,
mettre à revenir la pâte aux épices réservée, pendant 30 secondes environ.

4 Réduire le feu. Incorporer le riz, les
rondelles de ciboules et les crevettes.
Laisser cuire 2 à 3 minutes. Remettre le
porc et asperger de sauce de soja. Faire
sauter le tout pendant 1 minute. Garnir de
coriandre fraîche hachée et de lanières de
concombre, et servir rapidement.

Riz de fête

Ce plat de *nasi kuning* est réservé aux grandes occasions : mariages, naissances… ou repas d'adieu.

INGRÉDIENTS

Pour 4 personnes

450 g de riz parfumé thaïlandais
4 cuil. à soupe d'huile
2 gousses d'ail écrasées
2 oignons coupés en fines rondelles
5 cm de curcuma frais, épluché
   et réduit en purée
75 cl d'eau
40 cl de lait de coco en boîte
1 ou 2 branches de citronnelle froissée(s)
1 ou 2 feuilles de *pandan* (facultatif)
sel
accompagnement : lanières d'omelette,
   2 piments rouges frais coupés
   en lanières, quartiers de tomate,
   morceaux de concombre,
   rondelles d'oignon frites *(voir p. 175)*
   et crackers à la crevette

1 Laver plusieurs fois le riz à l'eau froide. Bien égoutter.

2 Chauffer l'huile dans un wok et mettre à revenir à feu doux l'ail écrasé, les rondelles d'oignons et le curcuma frais, sans les laisser brunir.

--- SUGGESTION DU CHEF ---

La coutume veut que le riz soit toujours présenté moulé en forme de cône (censé représenter un volcan) et entouré des autres ingrédients.

3 Ajouter le riz et bien remuer afin que tous les grains soient imprégnés. Verser l'eau et le lait de coco, puis incorporer la citronnelle, du sel et, éventuellement, les feuilles de *pandan*.

4 Porter à ébullition tout en remuant. Couvrir et cuire à feu moyen pendant 15 à 20 minutes, jusqu'à absorption totale du liquide.

5 Placer hors du feu. Recouvrir d'une serviette, puis d'un couvercle et laisser reposer au chaud pendant 15 minutes. Retirer la citronnelle et les feuilles de *pandan* du wok.

6 Disposer sur un plat et garnir des ingrédients d'accompagnement.

Riz cantonais

Voici le plat de riz le plus connu,
et l'un des plus nourrissants,
qui constitue presque un repas
complet à lui tout seul.

INGRÉDIENTS

Pour 4 personnes
450 g de riz cuit
50 g de crevettes cuites décortiquées
50 g de jambon cuit
120 g de petits pois
3 œufs
1 cuil. à café de sel
2 ciboules finement hachées
4 cuil. à soupe d'huile végétale
1 cuil. à soupe de sauce de soja claire
1 cuil. à soupe de vin de riz chinois
   (ou de Xérès sec)

1 Sécher le riz avec du papier absorbant. Découper le jambon en petits dés, de la même taille que les petits pois.

2 Battre légèrement les œufs dans un bol, en ajoutant 1 pincée de sel et quelques morceaux de ciboule.

3 Chauffer environ la moitié de l'huile dans un wok préchauffé. Faire revenir les petits pois, les crevettes et les dés de jambon pendant 1 minute, puis ajouter la sauce de soja et le vin de riz (ou le Xérès). Retirer les ingrédients du wok et les réserver au chaud.

4 Chauffer le reste d'huile dans le wok et brouiller légèrement les œufs. Incorporer le riz et remuer en s'assurant que les grains sont bien séparés. Ajouter le reste de sel et de ciboule, ainsi que les crevettes, le jambon et les petits pois. Bien mélanger et servir chaud ou froid.

Riz au jasmin

Le riz long grain blanc au jasmin, naturellement riche en arôme, est l'aliment de base de nombreux repas thaïlandais.

INGRÉDIENTS

Pour 4 à 6 personnes
450 g de riz au jasmin
75 cl d'eau fraîche

REMARQUE PRATIQUE

Il existe des cuiseurs électriques pour le riz, permettant également de le garder au chaud. La version haut de gamme est un modèle antiadhésif, très coûteux, dont l'achat est néanmoins un bon investissement pour l'amateur de riz qui se respecte.

1 Rincer abondamment le riz au moins 3 fois à l'eau froide. Après le dernier rinçage, l'eau doit être totalement claire.

2 Verser le riz dans un wok ou dans une casserole à fond très épais et ajouter l'eau. Porter à ébullition, sans couvercle, sur feu maximum.

3 Remuer et réduire le feu. Couvrir et laisser mijoter à feu doux pendant 20 minutes, jusqu'à ce que toute l'eau ait été absorbée. Retirer le wok ou la casserole du feu et laisser reposer 10 minutes.

4 Retirer le couvercle et remuer doucement le riz à l'aide d'une cuillère en bois ou d'une paire de baguettes, afin de séparer les grains.

Riz au jasmin sauté aux crevettes et au basilic thaï

Le basilic thaïlandais *(bai grapao)*, connu parfois sous l'appellation « basilic sacré », possède une saveur à la fois épicée et âpre, qui le rend inimitable. La plupart des épiceries asiatiques en vendent.

INGRÉDIENTS

Pour 4 à 6 personnes
3 cuil. à soupe d'huile végétale
1 œuf battu
1 oignon haché
1 cuil. à soupe d'ail haché
1 cuil. à soupe de pâte de crevettes
1 kg de riz au jasmin cuit
350 g de crevettes cuites décortiquées
50 g de petits pois
sauce d'huître, à discrétion
2 ciboules hachées
garniture : 15 à 20 feuilles de basilic
   thaïlandais grossièrement coupées
   et 1 branche de basilic entière

1 Chauffer 1 cuillerée à soupe d'huile dans un wok ou une poêle. Ajouter l'œuf battu et bien l'étaler pour former une pellicule homogène.

2 Cuire l'omelette jusqu'à ce qu'elle soit tout juste dorée. La verser sur une planche et la découper en fines lanières.

3 Chauffer le reste d'huile dans le wok. Faire revenir l'ail et l'oignon pendant 2 à 3 minutes. Tout en remuant, incorporer la pâte de crevettes.

4 Ajouter le riz, les crevettes et les petits pois. Continuer à remuer jusqu'à ce que tous les ingrédients soient réchauffés.

5 Assaisonner avec la sauce d'huître selon son goût (éviter de trop en ajouter, car la pâte de crevettes est déjà très salée). Ajouter les ciboules et les feuilles de basilic et transférer sur un plat. Garnir de lanières d'omelette. Décorer d'une petite branche de basilic et servir.

Riz sauté au porc

Si vous le souhaitez, vous pouvez garnir ce plat de lanières d'omelette de la même manière que pour la recette précédente.

INGRÉDIENTS

Pour 4 à 6 personnes

3 cuil. à soupe d'huile végétale
1 oignon haché
1 cuil. à soupe d'ail haché
120 g de porc coupé en petits dés
2 œufs battus
1 kg de riz cuit
2 cuil. à soupe de sauce de poisson
1 cuil. à soupe de sauce de soja brune
1/2 cuil. à café de sucre en poudre
garniture : 4 ciboules et 2 piments rouges
    en rondelles, 1 citron vert en quartiers
    et 1 omelette en lanières (facultatif)

1 Chauffer l'huile dans un wok ou une grande poêle. Mettre à revenir l'ail et l'oignon pendant 2 minutes environ, pour les ramollir.

2 Ajouter le porc et laisser cuire jusqu'à ce qu'il change de couleur et paraisse totalement cuit.

3 Incorporer les œufs et les brouiller afin qu'ils forment de petits morceaux.

4 Ajouter le riz en continuant à remuer et à faire sauter les ingrédients. Le riz doit être bien enduit et ne pas adhérer.

5 Verser la sauce de poisson, la sauce de soja et le sucre en remuant. Poursuivre la cuisson jusqu'à ce que le riz soit entièrement cuit. Garnir de rondelles de ciboules et de piments rouges, et de quartiers de citron vert. Garnir éventuellement de quelques lanières d'omelette au sommet et servir.

Riz sauté rouge

L'attrait de ce plat provient autant de sa couleur vive, due à l'oignon, au poivron et aux tomates cerise, qu'à la saveur de leur association.

INGRÉDIENTS

Pour 2 personnes
120 g de riz basmati
2 cuil. à soupe d'huile d'arachide
1 petit oignon rouge haché
1 poivron rouge coupé en morceaux
230 g de tomates cerise coupées en deux
2 œufs battus
sel et poivre noir moulu

1 Laver le riz à plusieurs reprises à l'eau froide. Bien égoutter. Faire bouillir une grande casserole d'eau salée avant d'y verser le riz. Laisser cuire 10 à 12 minutes, jusqu'à ce qu'il soit devenu bien tendre.

2 Dans le même temps, chauffer l'huile dans un wok. Mettre à revenir l'oignon et le poivron rouge pendant 2 à 3 minutes. Ajouter les tomates cerise et laisser cuire, tout en remuant, 2 minutes supplémentaires.

3 Incorporer les œufs battus en 1 seule fois. Laisser cuire 30 secondes sans remuer, puis briser l'omelette en train de se former et brouiller délicatement.

4 Bien égoutter le riz cuit et le verser dans le wok. Faire sauter tous les ingrédients pendant encore 3 minutes. Saler et poivrer le riz sauté selon son goût et servir.

Baguettes de riz sautées aux épices et aux crevettes

Cette recette bien connue trouve son origine dans le *pad thai,* un plat de nouilles traditionnel. Très populaire dans toute la Thaïlande, on le consomme matin, midi et soir.

INGRÉDIENTS

Pour 4 personnes

15 g de crevettes séchées
1 cuil. à soupe de pulpe de tamarin
3 cuil. à soupe de sauce de poisson thaïlandaise *(nam pla)*
1 cuil. à soupe de sucre en poudre
2 gousses d'ail hachées
2 piments rouges frais épépinés et hachés
3 cuil. à soupe d'huile d'arachide
2 œufs battus
230 g de baguettes de riz séchées, trempées dans de l'eau chaude pendant 30 minutes, puis rafraîchies à l'eau froide et égouttées
230 g de grosses crevettes cuites décortiquées
3 ciboules en morceaux de 2 à 3 cm
75 g de germes de soja
2 cuil. à soupe de cacahuètes sans sel, grillées et grossièrement hachées
2 cuil. à soupe de coriandre hachée
garniture : rondelles de citron vert

1 Verser les crevettes séchées dans un petit saladier et recouvrir d'eau chaude. Laisser tremper 30 minutes, jusqu'à ce qu'elles aient ramolli.

2 Verser la pulpe de tamarin dans un saladier avec 4 cuillerées à soupe d'eau chaude. Mélanger, puis filtrer à travers une passoire pour extraire 2 cuillerées à soupe d'eau au tamarin. Mêler ce liquide à la sauce de poisson et au sucre.

3 Piler l'ail et les piments dans un mortier pour obtenir une pâte. Réserver. Chauffer un wok à feu moyen et y verser 1 cuillerée à soupe d'huile. Brouiller les œufs pendant 1 à 2 minutes. Les retirer et les réserver au chaud. Bien essuyer le wok.

― SUGGESTION DU CHEF ―

Pour faire de ce plat une recette végétarienne, il suffit de supprimer les crevettes séchées et de remplacer les grosses crevettes par du tofu frit coupé en dés.

4 Réchauffer le wok avant d'y verser le reste d'huile. Mettre à revenir la pâte au piment réservée et les crevettes séchées, pendant 1 minute. Ajouter les baguettes de riz et le mélange au tamarin. Laisser cuire 3 à 4 minutes.

5 Incorporer les œufs brouillés, les crevettes, les ciboules, les germes de soja, les cacahuètes et la coriandre. Faire sauter pendant 2 minutes, jusqu'à ce que les ingrédients soient bien mélangés. Garnir chaque portion de citron vert et servir.

Riz sauté aux épices

Ce plat, très peu relevé, convient bien en accompagnement d'un curry. Les épices entières qu'il contient (clous de girofle, cardamome, feuille de laurier, cannelle, grains de poivre et de cumin) ne sont pas destinées à être mangées.

INGRÉDIENTS

Pour 3 à 4 personnes

175 g de riz basmati
1/2 cuil. à café de sel
1 cuil. à soupe de ghee ou de beurre
8 clous de girofle
4 gousses de cardamome verte légèrement écrasées
1 feuille de laurier
7 à 8 cm de bâton de cannelle
1 cuil. à café de grains de poivre noir
1 cuil. à café de graines de cumin

1 Verser le riz dans une grande passoire et le laver plusieurs fois abondamment à l'eau froide, jusqu'à ce que l'eau filtrée soit claire. Le transférer dans un saladier et le recouvrir avec 60 cl d'eau fraîche. Laisser tremper 30 minutes, puis bien égoutter.

— SUGGESTION DU CHEF —

Vous pouvez ajouter 1/2 cuillerée à café de curcuma moulu au cours de l'étape n° 2, pour donner au riz une couleur jaune.

2 Verser le riz dans une casserole à fond épais. Ajouter 60 cl d'eau et le sel. Porter à ébullition, puis couvrir et laisser mijoter 10 minutes. Le riz devra être cuit mais garder un peu de croquant. Égoutter l'eau restante et remuer avec une fourchette pour séparer les grains de riz. Étaler le riz sur un plateau et le laisser refroidir.

3 Faire fondre le ghee ou le beurre dans un wok jusqu'à formation d'une écume et mettre à revenir toutes les épices pendant 1 minute.

4 Ajouter le riz refroidi et le faire sauter pendant 3 à 4 minutes, jusqu'à ce qu'il soit bien chaud. Servir immédiatement.

Riz aux trois noix et aux champignons sautés

Cette recette très consistante fera un délicieux plat à servir au dîner, chaud ou froid, accompagné de salades.

INGRÉDIENTS

Pour 4 à 6 personnes

350 g de riz long grain, basmati de préférence
3 cuil. à soupe d'huile de tournesol
1 petit oignon (ou 1 échalote) grossièrement haché(e)
230 g de champignons des bois en tranches
50 g de noisettes grossièrement hachées
50 g de noix de pécan grossièrement hachées
50 g d'amandes grossièrement hachées
4 cuil. à soupe de persil frais haché
sel et poivre noir moulu

1 Rincer le riz avant de le faire cuire 10 à 12 minutes dans une casserole avec couvercle, dans 70 à 90 cl d'eau salée. Lorsqu'il est cuit, rafraîchir le riz à l'eau froide. Chauffer le wok avant d'y verser la moitié de l'huile. Faire revenir le riz pendant 2 à 3 minutes, puis le réserver dans un saladier.

REMARQUE PRATIQUE

De toutes les variétés de riz long grain, le basmati est le plus apprécié. Il est cultivé en Inde, où l'arôme que dégagent ses grains très fins lui a valu son nom (basmati peut se traduire par «parfumé»). Le rincer à l'eau froide et le laisser tremper 10 minutes avant cuisson.

2 Verser le reste d'huile dans le wok et mettre à revenir l'oignon (ou l'échalote) pendant 2 minutes, sans lui laisser prendre de couleur. Ajouter les champignons et faire sauter pendant 2 minutes.

3 Incorporer les noix, les noisettes et les amandes et faire revenir encore 1 minute. Remettre le riz et laisser cuire 3 minutes supplémentaires. Saler et poivrer. Saupoudrer de persil et servir.

LES DESSERTS

Comment imaginer un bon repas qui
ne se terminerait pas sur une petite
— ou, de préférence, une grande —
douceur ? Parce que les fruits sautés
y conservent leur forme et leur couleur,
le wok est l'ustensile idéal pour donner
à vos desserts la touche exotique et
colorée qui fera toute la différence. Parmi
les recettes sucrées — plus alléchantes
les unes que les autres — que vous
découvrirez dans les pages suivantes,
laissez-vous tenter par quelques
spécialités sortant de l'ordinaire, mais
simples à préparer : des Bunuelos frits
(sortes de beignets mexicains), ou de
succulents Wontons frits à la crème
glacée, sans oublier les fameux Beignets
de pommes caramélisés chinois.

Crêpes fourrées à la noix de coco

La couleur vert pâle qui caractérise la pâte des *Dadar Gulung* s'obtenait traditionnellement en pressant le jus de feuilles de *pandan,* processus très laborieux. On emploie aujourd'hui des colorants verts naturels, pour un résultat instantané.

INGRÉDIENTS

Pour 12 à 15 crêpes

175 g de sucre brun
45 cl d'eau
1 feuille de *pandan* tailladée avec une
fourchette et enroulée en un nœud
175 g de noix de coco séchée en poudre
huile de friture
1 pincée de sel

La pâte à crêpes

230 g de farine tamisée
2 œufs
2 gouttes de colorant alimentaire vert
quelques gouttes d'essence de vanille
45 cl d'eau
3 cuil. à soupe d'huile d'arachide

1 Dans une casserole, dissoudre à feu doux le sucre et la feuille de *pandan* dans l'eau, sans cesser de remuer. Augmenter le feu et laisser bouillir doucement pendant 3 à 4 minutes, jusqu'à ce que le mélange devienne légèrement sirupeux. Ne pas le laisser se caraméliser.

2 Verser la noix de coco dans un wok avec le sel. Ajouter le sirop préparé et laisser cuire à feu très doux, en remuant de temps en temps, pour que la préparation devienne presque sèche. Cela prendra environ 5 à 10 minutes. Transférer dans un récipient et réserver.

3 Préparer la pâte à crêpes en mélangeant (au fouet ou dans un mixer) la farine, les œufs, le colorant, l'essence de vanille, l'eau et l'huile.

4 Huiler une poêle à frire de 20 cm de diamètre environ, pour préparer 12 à 15 crêpes. Réserver les crêpes au chaud. Chacune sera ensuite garnie d'1 bonne cuillerée de préparation à la noix de coco, avant d'être enroulée et servie chaude.

Pudding traditionnel aux nouilles

Cette recette nous vient de la tradition culinaire juive. Ce dessert riche et consistant est un véritable délice.

INGRÉDIENTS

Pour 4 à 6 personnes

175 g de nouilles larges aux œufs
230 g de fromage blanc fermier
120 g de fromage blanc à 40 % de matière grasse
75 g de sucre en poudre
2 œufs
12 cl de faisselle
1 cuil. à café d'essence de vanille
1 pincée de cannelle moulue
1 pincée de noix de muscade râpée
1/2 cuil. à café de zeste de citron râpé
50 g de beurre
25 g d'amandes pilées
25 g de chapelure blanche séchée
sucre glace

1 Préchauffer le four à 180 °C (thermostat 4). Beurrer un plat allant au four. Cuire les nouilles *al dente* dans une grande casserole d'eau bouillante. Bien égoutter.

2 Battre ensemble les fromages blancs et le sucre dans un saladier. Ajouter les œufs et remuer en incorporant la faisselle. Verser l'essence de vanille, la cannelle, la muscade et le zeste de citron.

3 Mêler les nouilles au fromage et remuer. Verser le tout dans un plat beurré, à l'aide d'une cuillère, en égalisant la surface.

4 Faire fondre le beurre dans une poêle. Mettre à revenir les amandes pendant 1 minute et retirer du feu.

5 Ajouter la chapelure et bien mélanger. Étaler uniformément ce mélange à la surface du pudding. Cuire au four pendant 30 à 40 minutes. Servir chaud, saupoudré de sucre glace.

Mangue et noix de coco sautées

Choisissez une mangue bien mûre pour cette recette. Si elle ne l'est pas assez, il vous suffira de la laisser 1 ou 2 jours dans un endroit chaud avant de l'utiliser.

INGRÉDIENTS

Pour 4 personnes

1/2 noix de coco fraîche
1 grosse mangue mûre
jus de 2 citrons verts non traités
zestes des 2 citrons verts finement râpés
1 cuil. à soupe d'huile de tournesol
15 g de beurre
2 cuil. à soupe de miel liquide
accompagnement : crème fraîche

1 Peler la chair de la 1/2 noix de coco fraîche, à l'aide d'un épluche-légumes, pour obtenir de petits copeaux.

2 Éplucher la mangue. Couper le fruit en deux et retirer le noyau. Détailler chaque moitié en fines tranches.

3 Mettre les tranches de mangue dans un saladier, ajouter le jus et les zestes des citrons verts. Laisser mariner.

4 Pendant ce temps, chauffer un wok et y verser 2 cuillerées à café d'huile. Lorsque l'huile est chaude, ajouter le beurre et le laisser fondre. Faire revenir les copeaux de noix de coco jusqu'à ce qu'ils prennent une couleur dorée, puis les retirer du wok et les égoutter sur du papier absorbant. Essuyer le wok. Écraser les tranches de mangue en filtrant leur jus. Réserver séparément.

5 Chauffer le wok avant d'y verser l'huile restante. Lorsqu'elle est chaude, faire revenir la mangue pendant 1 à 2 minutes, avant d'incorporer son jus. Porter à ébullition et réduire immédiatement le feu. Laisser cuire 1 minute, puis ajouter le miel et les copeaux de noix de coco. Servir avec de la crème fraîche.

REMARQUE PRATIQUE

On trouve souvent en supermarché de la noix de coco dite « fraîche », déjà coupée et vendue en petits morceaux. Bien entendu, rien ne vaut la fraîcheur d'un fruit entier. Choisissez une noix de coco assez lourde par rapport à sa taille et secouez-la pour vérifier la présence du lait. La chair d'une noix de coco sèche est presque toujours rance. Pour ouvrir une noix de coco, on peut tout simplement la briser à l'aide d'un marteau (en prenant soin d'enfermer au préalable la noix dans un sac plastique). Il est souvent plus intéressant de percer les deux extrémités avec un clou pointu, de manière à pouvoir ensuite en extraire le lait et l'utiliser au moment voulu. Après avoir vidé la noix de coco, certains choisissent de chauffer le fruit au four jusqu'à ce qu'il se casse tout seul.

Bananes frites

Ce dessert croustillant est autant apprécié des enfants que des adultes. On peut voir sur tous les marchés de Thaïlande des marchands ambulants vendre des bananes frites. Cette recette fonctionne également très bien avec des pommes ou de l'ananas.

INGRÉDIENTS

Pour 4 personnes

120 g de farine
1/2 cuil. à café de bicarbonate de soude
2 cuil. à soupe de sucre en poudre
1 œuf
6 cuil. à soupe d'eau
2 cuil. à soupe de noix de coco râpée
  (ou 1 cuil. à soupe de graines de sésame)
4 bananes fermes
huile de friture
1 pincée de sel
garniture : feuilles de menthe
  et litchis frais
accompagnement : 2 cuil. à soupe
  de miel liquide

1 Passer la farine au tamis au-dessus d'un saladier, puis ajouter le bicarbonate de soude, le sucre et le sel. Battre l'œuf dans la farine, en versant juste ce qu'il faut d'eau pour former une pâte fine. Incorporer ensuite la noix de coco (ou les graines de sésame).

2 Éplucher les bananes. Couper chacune d'elles soigneusement en deux, dans le sens de la longueur. Couper ensuite chaque 1/2 banane en deux.

3 Chauffer l'huile dans un wok préchauffé. Plonger les bananes dans la pâte avant de les glisser dans l'huile chaude, par paquets de 4 ou 5 à la fois. Les frire jusqu'à ce qu'elles soient dorées.

4 Retirer les bananes de l'huile pour les égoutter sur du papier absorbant. Décorer de quelques feuilles de menthe et de litchis frais, et servir rapidement, accompagné de miel.

REMARQUE PRATIQUE

Choisissez des bananes tout juste mûres, encore un peu vertes aux extrémités : elles conserveront mieux leur forme et ne risqueront pas de se désagréger à la cuisson. Des bananes bien mûres – très jaunes et tachetées – seront plus sucrées, mais elles auront toutes les chances de se briser.

Bunuelos

INGRÉDIENTS

Pour 6 personnes
230 g de farine
1 cuil. à café de levure chimique
1/2 cuil. à café de sel
1 cuil. à soupe de sucre en poudre
1 gros œuf
12 cl de lait
25 g de beurre fondu
huile de friture
sucre glace

Le sirop
230 g de sucre roux
75 cl d'eau
1 bâton de cannelle de 2 à 3 cm
1 clou de girofle

1 Pour préparer le sirop, mélanger tous les ingrédients dans une casserole. Faire chauffer, tout en remuant, jusqu'à ce que le sucre soit dissous. Laisser ensuite réduire le mélange, pour obtenir un sirop léger. Retirer du feu et extraire les épices. Réserver le sirop au chaud pendant la fabrication des *bunuelos.*

2 Verser la farine, le sel et la levure dans un saladier. Ajouter le sucre en remuant. Dans un autre récipient, battre ensemble l'œuf et le lait, puis les incorporer délicatement à la farine. Ajouter le beurre fondu et bien remuer pour lisser la pâte.

3 Déposer la pâte sur un plan de travail fariné. La pétrir jusqu'à ce qu'elle devienne bien lisse et élastique. La diviser ensuite en 18 morceaux de même taille et les façonner en boulettes. Aplatir chaque boulette à la main.

4 Se servir du manche fariné d'une cuillère en bois pour percer un trou au centre de chaque *bunuelo.* Verser l'huile dans une grande poêle à frire ou une friteuse, jusqu'à un niveau de 5 cm. La chauffer à 190 °C (1 morceau de pain sec doit y dorer en 30 à 40 secondes).

5 Frire les *bunuelos* par petites quantités, jusqu'à ce qu'ils aient gonflé et soient dorés sur leurs deux faces. Les retirer de l'huile à l'aide d'une écumoire et les égoutter sur du papier absorbant.

6 Saupoudrer les *bunuelos* de sucre glace et les servir bien chauds, accompagnés de leur sirop.

> SUGGESTION DU CHEF
>
> Préparez le sirop à l'avance et conservez-le au réfrigérateur pour l'utiliser le moment voulu. Il sera facile de le réchauffer rapidement.

Sopaipillas

INGRÉDIENTS

Pour 30 feuilletés

230 g de farine tamisée
1 cuil. à soupe de levure chimique
1 cuil. à café de sel
2 cuil. à soupe de margarine
  (ou de saindoux)
18 cl d'eau
huile de maïs pour friture
accompagnement : sirop ou miel

SUGGESTION DU CHEF

Libre à chacun de choisir ce qui accompagnera le mieux les feuilletés. On peut les saupoudrer de sucre et de cannelle, les arroser de sirop au rhum ou de miel. Et pourquoi ne pas les déguster nature ?

1 Verser la farine, la levure et le sel dans un grand saladier. Incorporer la margarine (ou le saindoux), en pétrissant avec les doigts, jusqu'à obtenir une sorte de chapelure épaisse.

2 Ajouter l'eau petit à petit, en remuant à l'aide d'une fourchette, pour former une pâte homogène.

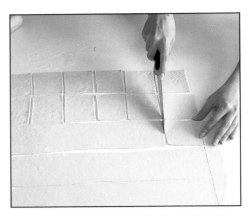

3 Pétrir la pâte en une boule bien lisse, que l'on déposera sur un plan de travail fariné. L'aplatir à l'aide d'un rouleau en un rectangle d'environ 45 x 35 cm. Découper ensuite 1 trentaine de carrés de même taille (7 à 8 cm), à l'aide d'un couteau bien aiguisé ou d'une petite roue dentelée de pâtissier.

4 Chauffer l'huile à 190 °C (1 morceau de pain sec doit y dorer en 30 à 40 secondes).

5 Frire les petits feuilletés dans l'huile, par 3 ou 4 à la fois. Les retourner sur l'autre face lorsqu'ils se mettent à gonfler. Laisser dorer, puis retirer les feuilletés de l'huile à l'aide d'une écumoire. Égoutter sur du papier absorbant. Servir cette friandise avec du sirop ou du miel.

Beignets de pommes caramélisés

Cette préparation donne
également d'excellents résultats
avec des bananes ou de l'ananas.

INGRÉDIENTS

Pour 4 personnes
4 pommes fermes (golden, par exemple)
120 g de farine
environ 12 cl d'eau
1 œuf
huile végétale pour friture,
   dont 2 cuil. à soupe pour le caramel
120 g de sucre en poudre

1 Éplucher et évider les pommes. Les
couper en 8 morceaux. Saupoudrer
d'un peu de farine chaque morceau.

2 Verser le reste de farine dans un petit
saladier. Ajouter progressivement l'eau,
tout en remuant énergiquement, afin de
former une pâte lisse. Incorporer l'œuf et
continuer de remuer jusqu'à obtenir un
mélange homogène.

3 Chauffer de l'huile de friture dans
un wok. Rouler les morceaux de
pommes dans la pâte avant de les plonger
dans l'huile. Laisser frire 3 minutes, pour
les dorer. Les retirer de l'huile et les
égoutter sur du papier absorbant. Lorsque
tous les morceaux auront été frits, vider
l'huile du wok.

4 Chauffer dans le wok les 2 cuillerées à
soupe d'huile réservées pour le caramel. Ajouter le sucre et remuer continuel-
lement jusqu'à ce que le sucre soit caramélisé. Passer rapidement les beignets de
pommes dedans, en les enduisant bien de
caramel. Plonger les beignets quelques
secondes dans de l'eau froide, afin de les
faire durcir. Servir.

Wontons torsadés

Ces petites torsades font une délicieuse friandise à l'heure du thé ou du café.

INGRÉDIENTS

Pour 24 wontons
12 galettes pour wontons
1 œuf battu
1 cuil. à soupe de graines de sésame noires
huile de friture
sucre glace (facultatif)

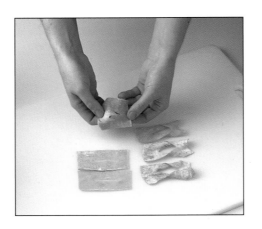

1 Couper en deux les galettes et pratiquer une entaille au centre de chacune d'elles, à l'aide d'un petit couteau.

2 Prendre les wontons un par un, les étirer, puis en replier une extrémité pour la faire passer à travers la fente.

3 Badigeonner chaque torsade d'un peu d'œuf battu. Les passer rapidement dans les graines de sésame pour qu'elles y adhèrent.

4 Chauffer l'huile à 190 °C dans une grande casserole ou une friteuse. Y plonger les wontons par petites poignées. Les frire 1 à 2 minutes de chaque côté, jusqu'à ce qu'ils soient croustillants et légèrement dorés. Les égoutter sur du papier absorbant. Saupoudrer éventuellement de sucre glace avant de servir.

SUGGESTION DU CHEF

On peut remplacer les graines de sésame noires par des graines de sésame ordinaires.

Wontons frits à la crème glacée

On peut considérer ce dessert comme la réponse chinoise aux fameux cookies américains à la crème glacée. Pour rendre le résultat encore plus impressionnant, servez les wontons accompagnés de fruits, frais ou confits.

INGRÉDIENTS

Pour 4 personnes
huile de friture
12 galettes pour wontons
8 boules de glace (parfum au choix)

SUGGESTION DU CHEF

Choisissez de préférence 2 parfums de glace différents (chocolat et fraise, ou bien vanille et café, par exemple). Pour rendre ce dessert encore plus appétissant, rien ne vous empêche de l'arroser d'1 cuillerée de votre liqueur préférée.

---

1 Chauffer l'huile à 190 °C dans une grande casserole ou une friteuse.

3 Égoutter les wontons sur du papier absorbant.

2 Plonger les wontons dans l'huile par petites quantités et laisser frire 1 à 2 minutes de chaque côté, jusqu'à ce qu'ils soient devenus dorés et croustillants.

4 Au moment de servir, déposer un wonton sur chaque assiette et le surmonter d'une boule de crème glacée. Poser sur la glace un second wonton, puis de nouveau une boule de glace. Couvrir l'ensemble d'un troisième wonton. Il n'y a plus qu'à servir. Bon appétit !

Index